D1092402

COMPARTIR

a *Jesús*

ES TODO

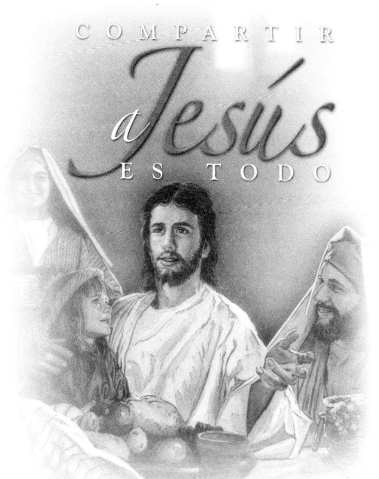

COMPARTIR
Jesús
ES TODO

ALEJANDRO BULLÓN

Pacific Press® Publishing Association
Nampa, Idaho
Oshawa, Ontario, Canada
www.pacificpress.com

COMPARTIR A JESÚS ES TODO
Dirección editorial: Miguel Valdivia
Redacción: Ricardo Bentancur
Diseño de la portada: Steve Lanto
Arte de la portada: Lars Justinen
Diseño del interior: Diane de Aguirre

A no ser que se indique de otra manera, todas las citas de las Sagradas Escrituras están tomadas de la versión Reina-Valera, revisión de 1960. *Unless indicated, Bible quotes are from the New King James edition.*

Derechos reservados © 2009 por
Pacific Press® Publishing Association.
P.O. Box 5353, Nampa, Idaho 83653
EE. UU. de N. A.

Prohibida la reproducción total o parcial sin la
autorización previa de los editores.

Primera edición: 2009

PUBLICACIONES
ADVENTISTAS DEL 7° DIA

ISBN 13: 978-0-8163-9314-5
ISBN 10: 0-8163-9314-1
Printed in the United States of America

09 10 11 12 • 04 03 02

CONTENIDO

PREFACIO

"Lo que me lleva a escribir este libro es el peligro que corremos de equivocarnos en la comprensión de lo que es el reino de Dios. Esa fue la tragedia de los discípulos y puede ser también la nuestra", escribe el autor de este libro.

¿Qué es el reino de Dios? Esta pregunta es el eje central de esta obra. Corre como un río a lo largo de cada capítulo, dándole vida a los pensamientos con los que el pastor Alejandro Bullón intenta darnos una respuesta. La cuestión es acuciante para el pueblo de Dios que vive en el último período de la historia.

Porque el reino de Dios tiene instituciones que requieren de estadísticas, presupuestos, gráficos, registros de entradas y salidas monetarias, pero es mucho más que esto. Lo peor que nos puede ocurrir es pensar que el crecimiento del reino de Dios está ligado directamente al aumento de los números, y de ahí inferir que para que el reino de Dios crezca debemos crear una serie de estrategias para aumentar el número de miembros y la cantidad de ingresos financieros. Esta no es una cuestión de métodos. No es un asunto de talentos. No tiene nada que ver con el poder humano. Cualquier gran ejecutivo podría hacer crecer la estructura. Para hacer esto no necesitamos el poder del Espíritu Santo. El desafío de la iglesia es hacer crecer espiritualmente a cada cristiano.

A todo aquel que recibió a Cristo en su corazón, el Señor lo compromete a que participe con él en la gran empresa de preparar una iglesia gloriosa que refleje la gloria de Dios. Ese es el anhelo más grande de Dios, y es también la misión que le confió a usted y a cada uno de nosotros como creyentes.

Si la gloria de Dios es su carácter, según lo declara Elena G. de White, entonces reflejar la gloria divina es participar de su amor. Porque Dios es amor. Es amar a Dios y amar a las personas por las que Cristo murió.

Llevar almas a los pies del Maestro es también un instrumento indispensable en el proceso del crecimiento espiritual. El crecimiento espiritual tiene como objetivo final llevarnos a reflejar el carácter de Jesucristo, y consecuentemente llevar a otros a los pies del Maestro, como Andrés hizo con Pedro.

En este libro, el pastor Alejandro Bullón nos enseña cuán fácil es *compartir a Jesús*. Él nos desafía a festejar, disfrutar, gozar y celebrar la tarea de la testificación. Luego de la lectura de este libro, usted comprenderá porqué es hermoso *compartir a Jesús*. Porque *compartir a Jesús* es evangelizar, es preparar a la iglesia del sueño de Dios para que lo glorifique aquí en la tierra y se encuentre con él cuando vuelva por segunda vez. A este destino hemos sido llamados usted y nosotros—LOS EDITORES.

Capítulo 1

¿QUÉ REINO ESTAMOS CONSTRUYENDO?

Camino, mientras pienso. El terreno bajo mis pies parece herido y rajado por los años. Las cosas de alrededor no me impresionan, y ni siquiera la luna redonda me llama la atención. Camino pensativo, buscando ideas. Para ser franco, busco palabras. Quiero decir tantas cosas, expresar la incapacidad humana de entender los asuntos del espíritu, la dureza de mi propio corazón. Mientras camino, vienen a mi memoria las luchas del alma que Jesús enfrentaba al lidiar con sus discípulos. Y tengo vergüenza. Yo soy uno de ellos. Dos milenios después, pero soy uno de ellos.

Jesús siempre tuvo dificultad para que sus discípulos lo entendieran. Ellos decían que lo entendían, y tal vez oyeron sus palabras, pero no captaron el sentido de lo que decía. Daba la impresión de que el Maestro les hablaba en una frecuencia, y ellos sintonizaban otra. Era así. Jesús hablaba de cosas espirituales y los hombres, limitados por su humanidad, solo entendían las cosas desde el punto de vista material.

Por ejemplo, un día el Maestro se encontró con Nico-

9

demo y le habló del nuevo nacimiento. Él hablaba de un nacimiento espiritual, de la conversión. Todo ser humano necesita ser convertido para vivir la vida cristiana, pero Nicodemo preguntó: "¿Cómo puede un hombre nacer siendo viejo? ¿Puede acaso entrar por segunda vez en el vientre de su madre, y nacer?" (Juan 3:4). Nicodemo, a pesar de ser un líder espiritual del pueblo de Dios, no entendió el sentido espiritual del mensaje de Jesús.

En otra ocasión, el Maestro se encontró con la mujer samaritana y le habló del agua de la vida. Jesús se refería a la gracia maravillosa que sacia la sed espiritual del ser humano, pero la pobre mujer no tenía capacidad de entender las cosas del espíritu e inmediatamente preguntó: "Señor, no tienes con qué sacarla, y el pozo es hondo. ¿De dónde, pues, tienes el agua viva?" (Juan 4:11). Jesús hablaba del agua que venía del cielo y ella miraba el agua del pozo. ¡Qué tragedia!

En el capítulo ocho del Evangelio de Marcos encontramos registrada otra historia que muestra la dificultad de los seres humanos para entender las cosas espirituales. Está relatada así: "Habían olvidado de traer pan, y no tenían sino un pan consigo en la barca. Y él les mandó, diciendo: Mirad, guardaos de la levadura de los fariseos, y de la levadura de Herodes". ¿De qué levadura estaba hablando Jesús? De la doctrina. Sin embargo, los discípulos "discutían entre sí, diciendo: Es porque no trajimos pan" (Mar. 8:14-16). Llega a ser jocoso. Ellos entendían todo mal. Veían las cosas solo desde el punto de vista humano y material.

Jesús había venido al mundo a establecer su reino, y en todo momento fue claro cuando les dijo que su reino era espiritual. Juan ya lo había anunciado: "En aquellos días vino Juan el Bautista predicando en el desierto de Judea, y diciendo: Arrepentíos, porque el reino de los cielos se ha acercado" (Mat. 3:1, 2). Tanto Juan como Jesús hablaron siempre del "reino de los cielos". El Señor mencionó 126 veces la naturaleza espiritual de su reino en los cuatro Evangelios. Jamás dio motivo para que los discípulos pensaran que se estaba refiriendo a un reino terrenal. Fue enfático cuando usó ilustraciones como la sal, la luz, la levadura y el grano de mostaza. Cosas pequeñas, pero de consecuencias transcendentales y eternas, como son las cosas espirituales. Pero ellos pensaban que Jesús era un mesías guerrero, y que había llegado solo para derrotar a los romanos y establecer el reino terrenal de Israel. Los discípulos pensaban en el reino de los cielos en términos humanos, aunque trataban de "espiritualizar" sus conceptos. Mencionaban con frecuencia la expresión "reino de los cielos", pero inconscientemente lo hacían dentro de los parámetros de las cosas de esta tierra. Como cuando discutieron acerca de quién de ellos sería el más grande en el "reino de los cielos". ¡Qué ironía!

A lo largo de sus tres años de ministerio, Jesús trató de enseñarles una y otra vez la naturaleza espiritual de su reino, y ellos siempre creyeron que lo habían entendido. La realidad, sin embargo, era dolorosamente cruel. Ellos jamás entendieron. Por eso, cuando Jesús murió, se sintieron frustrados, derrotados y tristes. Sus expectativas políticas habían llegado al fin. Para ellos, el "reino de los cielos" no había pasado de ser una ilusión. Y aquel domingo, mientras dos de ellos retornaban a Emaús con sus esperanzas frustradas, Cleofas, sin reconocerlo, le dijo al propio Señor Jesucristo: "¿Eres tú el único forastero en Jerusalén que no has sabido las cosas que en ella han acontecido en estos días? Entonces él les dijo: ¿Qué cosas? Y ellos le dijeron: De Jesús nazareno, que fue varón profeta, poderoso en obra y en palabra delante de Dios y de todo el pueblo; y cómo le entregaron los principales sacerdotes y nuestros gobernantes a sentencia de muerte, y le crucificaron. Pero nosotros esperábamos que él era el que había de redimir a Israel; y ahora, además de todo esto, hoy es ya el tercer día que esto ha acontecido" (Luc. 24:18-21).

¿Por qué las palabras de Cleofas están cargadas de pesimismo? "Nosotros esperábamos que él era el que había de redimir a Israel", dijo entristecido. ¡Pobres discípulos! Habían entendido mal lo que era el reino de Dios. La redención que Jesús les había prometido estaba en plena acción. Era esa la razón por la que el Señor había aceptado la muerte de cruz, y ellos pensaban que Jesús les había fallado. Habían sido desaprobados en el examen final.

Pero Jesús nunca desecha a los que fracasan. Él es el Dios de las oportunidades, siempre dispuesto a escribir una nueva historia en una página en blanco. Por eso, aquella misma noche apareció ante sus discípulos, que estaban dominados por el miedo, escondidos con las puertas trancadas y las esperanzas rotas. Los consoló, les dio ánimo, y les encomendó la edificación de su reino.

¿Qué reino edificarían, si en tres años no habían entendido nada? Pero Jesús nunca pierde las esperanzas, y se quedó con ellos cuarenta días más para ayudarlos a entender la naturaleza espiritual de su reino. Lucas relata la historia de la siguiente manera: "A quienes también, después de haber padecido, se presentó vivo con muchas pruebas indubitables, apareciéndoseles durante cuarenta días y hablándoles acerca del reino de Dios" (Hech. 1:3).

¡El reino de Dios! Ése había sido el tema central de su ministerio durante los tres años anteriores. Ellos no habían entendido. Ahora, resucitado, antes de subir a los cielos, se queda con ellos cuarenta días más, y el tema central de sus enseñanzas en esos días volvió a ser el reino de Dios. Les dice más; les pide que no salgan de Jerusalén, sino que esperen la promesa del Espíritu Santo. ¿Por qué? Porque el reino de Dios es un reino espiritual y solo puede ser edificado con la participación del Espíritu.

Después compara ambos reinos con el bautismo de Juan y el bautismo del Espíritu. Juan bautizaba con agua. Era un bautismo visible. Todo el mundo veía. Quedaban las "fotos", ese recuerdo visual, como registro del acontecimiento; los nombres eran escritos en los libros de la iglesia. Pero el bautismo del Espíritu es diferente. Nadie ve. No hay fotos. Porque el reino de Dios empieza a trabajar por dentro, como lo hace el grano de mostaza, la sal y la levadura. Los nombres no están escritos en los libros de la secretaría de la iglesia, sino en los libros de la vida allá en los cielos.

Este es el último día que Jesús pasa con sus discípulos. Este es el último mensaje que les deja. Quiere tener la certeza de que ahora sí entendieron la naturaleza espiritual de su reino; pero de repente, ellos le preguntan con una ingenuidad que duele: "Señor, ¿restaurarás el reino de Israel en este tiempo?" (Hech. 1:6).

Imagina la decepción de Jesús. Él ya estaba listo para partir, y sus amados discípulos todavía no habían entendido la misión. Entonces, al registrar sus últimas palabras, les dice cómo construir el reino espiritual, la iglesia gloriosa, sin arruga, ni mancha, que él desea encontrar cuando vuelva: "Recibiréis poder, cuando haya venido sobre vosotros el Espíritu Santo, y me seréis testigos en Jerusalén, en toda Judea, en Samaria, y hasta lo último de la tierra" (Hech. 1:8). Para construir el reino de Dios, cada discípulo tendría que volverse un testigo. Sin el testimonio personal de cada cristiano, jamás existiría el reino de Dios.

Ya pasaron más de veinte siglos desde aquel día, y yo me pregunto: ¿Entiendo la naturaleza espiritual del reino de Dios? ¿Estoy edificando el reino de Dios o simplemente un reino terrenal? ¿Basta llamar "reino de Dios" a lo que estoy construyendo, para que en verdad sea el reino de Dios? ¿O pensando que estoy edificando el reino del Señor, estoy haciendo crecer, simplemente, un reino humano al que llamo "reino de Dios"?

Para responder estas preguntas es necesario entender primero en qué consiste el reino de Dios. No está formado por cosas sino por seres humanos. La materia prima, si pudiésemos llamarla así, son las vidas. Vidas preparadas para el encuentro con Jesús, hombres y mujeres que reflejan el carácter de Jesús, gente linda que al moverse por las calles de la vida, iluminan el mundo con la gloria del Señor.

Elena G. de White escribió: "El último mensaje de clemencia que ha de darse al mundo, es una revelación de su carácter de amor. Los hijos de Dios han de manifestar su gloria. En su vida y carácter han de revelar lo que la gracia de Dios ha hecho por ellos" (*Palabras de vida del Gran Maestro*, p. 342).

La preocupación del reino de Dios es la salvación de las personas. Pero, a pesar de que es un reino espiritual, aún está en la tierra y necesita una estructura. Por lo tanto, mientras vivamos en este mundo, el reino de Dios necesita templos, capillas, instituciones, escuelas, casas editoras, hospitales, dinero y libros de registro. La estructura es un aspecto del reino espiritual de Dios. No puede ser desvinculada del reino mientras peregrinemos en este mundo.

El peligro radica en confundir las cosas y empezar a medir el crecimiento del reino de Dios por el crecimiento de la estructura. Voy a hacer una pregunta dramática: ¿Es posible hacer crecer la estructura sin que crezca el reino de Dios?

Déjame relatarte un incidente curioso que va a ilustrar lo que te estoy diciendo: Corría 1988 y estábamos preparando los detalles de lo que sería la campaña evangelizadora más grande de la iglesia adventista en Brasil hasta entonces. Veinte mil personas se reunirían todas las noches en el estadio cubierto de Ibirapuera, de la ciudad de San Pablo. Aquel sueño fue realizado con la participación de muchas personas maravillosas. Gente linda que no midió trabajo ni dinero. Dos empresarios quisieron financiar una campaña publicitaria masiva, usando todos los medios de comunicación. Así que nos reunimos con un grupo de profesionales de una empresa publicitaria. Uno de ellos nos preguntó: "¿Qué tipo de público quieren? Nosotros les llenamos el estadio con el tipo de gente que ustedes prefieran: jóvenes, mujeres, ancianos, inválidos, lo que ustedes quieran".

Al principio, la actitud de aquel hombre me pareció arrogante, pero a medida que él hablaba, fui entendiendo el poder de la propaganda. El mundo es movido por la publicidad. Con raras excepciones, las personas consumen lo que la propaganda les vende: Automóviles, ropa, alimentos, artículos de belleza, etc. Aquel hombre nos afirmó, por ejemplo, que la *Coca Cola* se ha transformado en una especie de religión, por causa de la propaganda: "¿Quiénes creen ustedes que hicieron de la *Coca Cola* lo que es? Nosotros, los publicitarios".

Repentinamente, un colega que estaba conmigo preguntó:

—¿Y si nosotros quisiéramos hacer una campaña publicitaria de nuestra iglesia, aumentaría el número de miembros?

—Claro, afirmó el hombre, solo que ustedes necesitarían por lo menos diez años para construir templos, salones, coliseos, estadios, etc. Porque, ¿dónde colocarían en este momento a todas las personas que vendrían a su iglesia como resultado de nuestro trabajo?

Yo estaba perplejo. Aquel hombre no estaba exagerando. La propaganda tiene el poder de vender cualquier producto, inclusive una filosofía de vida. Entonces, ¿para qué necesitamos el Espíritu Santo? Conducir a multitudes a que se vuelvan miembros de una iglesia no es difícil; hacer que los ingresos económicos aumenten y se multipliquen las escuelas, las casas editoras y los templos no es una tarea imposible para la habilidad humana.

Si contratásemos a un gran ejecutivo que haya hecho crecer a empresas como Shell, Honda, Microsoft y otras, ¿no podría también hacer crecer la estructura de nuestra iglesia y multiplicar sus "consumidores"? Para eso no se necesita el Espíritu Santo; solo se requiere habilidad empresarial. Cualquier gran ejecutivo presentaría, después de tres años, un balance extraordinario y un informe impresionante de aumento de miembros, ingresos y desarrollo alrededor del mundo. Presentaría también un crecimiento de bienes raíces por todos lados, pero ¿podría presentar un pueblo que reflejara la gloria de Dios y el carácter de Jesucristo?

Usando solo técnicas administrativas y de liderazgo, es posible hacer crecer la estructura de la iglesia, sin que necesariamente crezca el reino de Dios, pero es imposible que el reino de Dios crezca sin que la estructura también lo haga.

Lo que me lleva a escribir este libro es el peligro que corremos de equivocarnos en la comprensión de lo que es el reino de Dios. Esa fue la tragedia de los discípulos y puede ser también la nuestra. El reino de Dios tiene instituciones, miembros, estadísticas, presupuestos, gráficos, registros de entradas y salidas monetarias, pero es mucho más que esto. Si cada cristiano no crece espiritualmente, si la iglesia no lleva a cada nuevo convertido a una vida de permanente comunión con Dios, si cada cristiano no ora, no estudia la Biblia y no guía a las personas a los pies de Cristo, no existe tal reino de Dios.

Lo peor que nos puede suceder es pensar que el crecimiento del reino de Dios es simplemente el aumento de los números. Y en nuestro afán por hacer crecer el reino de Dios, por crear una serie de estrategias para aumentar el número de miembros y la cantidad de ingresos financieros, podemos confundir los términos. Cualquier gran ejecutivo podría hacer crecer la estructura. Solo para eso no se necesitaría el Espíritu Santo. El desafío de la iglesia es hacer crecer espiritualmente a cada cristiano, para que también haya un crecimiento de miembros y un aumento financiero saludable.

Es noche en Atlanta mientras llego al fin de este capítulo. A mi lado derecho está la ventana por donde contemplo los vehículos que buscan su destino. Imagino a las personas que los conducen y siento su dolor. El dolor de andar sin Cristo. Y escucho el desafío de Jesús: "Ve allá y llámalos a formar parte de mi reino. No los hagas simplemente miembros de iglesia, hazlos hombres y mujeres espirituales. Para eso te di la realidad de mi Espíritu".

Es noche ya, bien noche, y me vienen a la cabeza los versos de un trovador amigo, de un artista del dolor; el escritor y poeta Ricardo Bentancur:

El hombre camina sobre la tierra herida,
rajado de pie a cabeza
en su horizonte el corazón ya declina.

Mira las estrellas y busca un sentido.
Recuerda el viejo adagio de un
Maestro para él desconocido:

"No solo de pan vive el hombre,
sino de toda Palabra
de Aquel que revela el amor de su Nombre".

"No comprenden ustedes las cosas del Espíritu
—dijo el Maestro del símbolo—:
La luz no es la luz ni la levadura lo es del pan
que hoy partimos".

Y así, la Metáfora les habló ciento veintiséis veces:
El agua, la sal, la levadura, la espiga de trigo,
los cinco panes y los dos peces.

Continúan de los discípulos las preguntas en esta era perdida:
¿Cómo nacer de nuevo? ¿Cómo sacar el agua?
El hombre sigue espinando la Carne una vez partida.

Y caminando, orando y sufriendo,
el hombre escucha la voz,
y símbolos y metáforas ahora viviendo
revela ante el mundo el rostro de Dios.

PARA REFLEXIONAR

1. **¿Por qué Jesús les enseñaba con parábolas a los discípulos?**

2. **¿Por qué no entendieron los discípulos las enseñanzas del Maestro?**

3. **¿Entendemos hoy nosotros la Palabra del Señor?**

4. **¿Cuál es el modo en que Dios se revela en el corazón del hombre?**

5. **¿Será algo muy difícil llevar un alma a los pies de Jesús?**

Capítulo 2

¡EL SUEÑO DE DIOS!

Después de andar noche adentro por las calles de mi imaginación, abrumado por el peso de mis pensamientos, vuelvo a la mesa del cuarto de mi hotel y me coloco delante de la computadora. Es hora de escribir. Oro, suplico el abrazo divino, la luminosidad de las ventanas del cielo… y empiezo. Me proyecto al dolor del hombre, al dolor íntimo del alma herida.

El mundo gemía envuelto en las tinieblas del pecado. Hombres y mujeres condenados a muerte eterna. El universo lloraba la tragedia humana; y ante esa situación catastrófica, el Señor Jesús tuvo un sueño: Rescatar a sus hijos de las profundidades grotescas del mal, devolverles la imagen del Padre, y encontrar "una iglesia gloriosa, que no tuviese mancha ni arruga ni cosa semejante" en ocasión de su segunda venida (Efe. 5:27).

Pero todo sueño tiene un precio. Y el precio que Jesús pagó por su sueño fue muy alto; le costó su propia vida. Pablo afirma que: "Cristo amó a la iglesia, y se entregó a sí mismo por ella" (vers. 25). Se entregó, se sacrificó, murió: "Como cordero fue llevado al matadero; y como oveja delante de sus trasquiladores, enmudeció, y no abrió su boca" (Isa. 53:7).

En la Biblia encontramos descrito muchas veces el sueño de Dios. Imagínalo cerrando los ojos y preguntándose a sí mismo: "¿Quién es esta que se muestra como el alba, hermosa como la luna, esclarecida como el sol, imponente como ejércitos en orden?" (Cant. 6:10). ¡Ese es el reino de Dios!

¡El sueño divino! Un pueblo preparado, una iglesia gloriosa y sin mancha, hermosa como la luna, esclarecida como el sol, reflejando su carácter; seres humanos capaces de escuchar la dulce voz del Padre que les dice "Levántate, resplandece; porque ha venido tu luz, y la gloria de Jehová ha nacido sobre ti. Porque he aquí que tinieblas cubrirán la tierra, y oscuridad las naciones; mas sobre ti amanecerá Jehová, y sobre ti será vista su gloria. Y andarán las naciones a tu luz, y los reyes al resplandor de tu nacimiento" (Isa. 60:1-3).

Una iglesia gloriosa, sin arruga y sin mancha, como una novia vestida de blanco esperando a su novio. Una iglesia auténtica, sin formalismos, que no viva solo preocupada con la apariencia, "no sirviendo al ojo, como los que quieren agradar a los hombres, sino como siervos de Cristo, de corazón haciendo la voluntad de Dios; sirviendo de buena voluntad, como al Señor y no a los hombres" (Efe. 6:6, 7). ¡Esa es la iglesia de los sueños de Dios! ¡El pueblo que forma parte del reino del Padre!

El día viene, y no tarda, cuando finalmente Jesús aparezca en las nubes de los cielos, en busca de la iglesia de sus sueños; y en ese día, la pregunta que él me hará no será cuántas personas llevé al bautismo, o cuántas nuevas iglesias organicé, o cuántos templos construí. Todo esto es necesario mientras la iglesia de Dios peregrine en esta tierra, pero la pregunta que él me hará nada tendrá que ver con esto, sino con el sueño que lo llevó a la cruz: ¿Dónde está la iglesia gloriosa que te pedí que preparases para encontrarse conmigo?

Me temo que en aquel día las disculpas que yo presente por no haber cumplido el encargo divino serán inconsistentes: ¿Qué podría yo decirle a Jesús? ¿Que dejé de preparar la iglesia gloriosa porque estaba ocupado en cruzadas evangelizadoras? ¿Que no tuve tiempo para preparar su iglesia porque tenía un blanco de bautismos que alcanzar?

El Señor Jesús me pidió preparar una iglesia gloriosa, que reflejara la gloria de Dios. Ese es su anhelo más grande, y es también la misión que me confió. ¿Cómo puedo realizar ese sueño divino? ¿Cómo puedo yo ayudar a que la iglesia refleje la gloria de Dios?

Lo primero que necesito es entender lo que significa la gloria de Dios. ¿Qué es la gloria de Dios? El espíritu de profecía responde esta pregunta: "Orad con Moisés: 'Muéstrame tu gloria'. ¿Qué es esta gloria? El carácter de Dios" (*Testimonios para los ministros*, 1977, p. 499).

Dios espera que su iglesia refleje su carácter. Al fin de cuentas, el pecado desfiguró el carácter de Dios en nuestra vida. Y Jesús vino a este mundo para restaurar la gloria perdida y reproducir en el ser humano el carácter del Padre. Lo dejó todo allá, en el cielo, y vino a este mundo de miseria y dolor a pagar el precio de nuestra restauración. Por eso, "Cristo espera con un deseo anhelante la manifestación de sí mismo en su iglesia. Cuando el carácter de Cristo sea perfectamente reproducido en su pueblo, entonces vendrá él para reclamarlos como suyos" (*Exaltad a Jesús*, p. 269).

A la luz de esta declaración, el Señor Jesús espera pacientemente que la iglesia refleje su carácter para volver y llevar a su pueblo. "El último mensaje de clemencia que ha de darse al mundo es una revelación de su carácter de amor. Los hijos de Dios han de manifestar su gloria. En su vida y carácter han de revelar lo que la gracia de Dios ha hecho por ellos" (*Palabras de vida del gran Maestro*, p. 342).

¡Qué desafío! El último mensaje al mundo no es teórico. No tiene que ver solo con la enseñanza de un cuerpo doctrinal, sino con la manifestación de su gloria.

"Debemos salir a proclamar la bondad de Dios y a poner de manifiesto su verdadero carácter ante la gente. Debemos reflejar su gloria. ¿Hemos hecho esto en el pasado? ¿Hemos revelado el carácter de nuestro Señor por precepto y ejemplo?" (*Fe y obras*, p. 61).

¿Hasta qué punto entiendo esto? ¿Hasta qué punto estoy preocupado en edificar la iglesia de los sueños de Dios? ¿Qué significa preparar una iglesia que refleje el carácter de Jesús? ¿Cómo se construye su reino?

Al estudiar el capítulo seis de la carta a los Efesios encontramos los instrumentos que Dios dejó para edificar esa iglesia. El apóstol Pablo los menciona así: "Por tanto, tomad toda la armadura de Dios, para que podáis resistir en el día malo, y habiendo acabado todo, estar firmes. Estad, pues, firmes, ceñidos vuestros lomos con la *verdad*, y vestidos con la coraza de *justicia*, y calzados los pies con *el apresto del evangelio de la paz*. Sobre todo, tomad el escudo de la *fe*, con que podáis apagar todos los dardos de fuego del maligno. Y tomad el yelmo de la *salvación*, y la espada del Espíritu, que es *la palabra de Dios*; orando en todo tiempo con toda *oración* y súplica en el Espíritu, y velando en ello con toda perseverancia y súplica por todos los santos" (Efe. 6:13-18; siempre la letra cursiva expresará un énfasis que no se encuentra en el texto original).

La iglesia que haga uso de estas armas podrá "resistir en el día malo, y habiendo acabado todo" estará firme, reflejando la gloria de Dios. Una iglesia a toda prueba. Esa es la afirmación del apóstol. Y los instrumentos para alcanzar esa experiencia son: "la verdad, la justicia, el apresto del evangelio de la paz, la fe, la salvación, la Palabra de Dios y la oración".

Permíteme, sin embargo, dividir estos instrumentos en dos grupos. En el primero, voy a colocar la verdad, la justicia, la fe y la salvación. Estos cuatro son instrumentos divinos colocados en las manos de los seres humanos, pero la participación humana en ellos es solo la de aceptar o rechazar.

Los últimos tres: la oración, el estudio diario de la Biblia y el apresto del evangelio de la paz, son también instrumentos divinos, pero solo funcionan si el ser humano los pone en práctica. Su participación en el uso de estos instrumentos es mucho más activa. Explico mejor: Tú y yo no podemos hacer nada para modificar la verdad, la justicia, la fe y la salvación; solo podemos aceptarlas o rechazarlas. Ellas siempre estarán por encima de nuestras intenciones humanas. Pero con relación al apresto del evangelio, al estudio diario de la Biblia y a la oración, nuestra participación es indispensable. Somos nosotros los que tenemos que orar y estudiar la Biblia todos los días. Dios no va a hacer eso en nuestro lugar.

Todos sabemos en qué consiste la oración y el estudio de la Biblia. Pero, ¿qué es el "apresto del evangelio de la paz"? Isaías lo explica: "¡Cuán hermosos son sobre los montes los pies del que trae alegres nuevas, del que anuncia la paz, del que trae nuevas del bien, del que publica salvación, del que dice a Sión: ¡Tu Dios reina!" (Isa. 52:7). El apresto del evangelio de la paz es traer personas a Cristo. A esto podemos llamar testificación. Es un instrumento indispensable en el proceso del crecimiento espiritual. El crecimiento espiritual tiene como objetivo final llevarnos a reflejar el carácter de Jesucristo.

Muchos cristianos, de alguna manera, logran orar y estudiar la Biblia todos los días. La dificultad para la mayoría se encuentra en la tarea de llevar a otras personas a los pies de Jesús. Creyentes sinceros y bien intencionados, por más que se esfuerzan, ven con frecuencia sus intenciones frustradas, y después de algunas iniciativas fracasadas, llegan a la conclusión de que "no tienen don para eso". Pero desde la perspectiva divina, orar, estudiar la Biblia y conducir personas a Jesús no son dones. Son instrumentos claves para el crecimiento cristiano. El uso de estos instrumentos determinará mi crecimiento en la gracia de Dios.

Para que estos instrumentos tengan validez, tienen que funcionar juntos. Esto funciona como la dinamita. La dinamita tiene tres elementos: la pólvora, el detonador y la mecha. Aislados los elementos, la dinamita no surte efecto. Pero juntos, tienen en sí un poder destructor terrible. La misma cosa sucede en la vida espiritual. La oración y el estudio de la Biblia separados de la testificación no tienen mucho valor. Pueden, inclusive, llevarte al fanatismo o al misticismo. Esto es lo que afirma el espíritu de profecía: "Este período no ha de usarse en una devoción abstracta. El esperar, velar, y ejercer un trabajo vigilante han de combinarse" (*Servicio cristiano*, pp. 107, 108).

¿A qué le llama la sierva del Señor "devoción abstracta"? Al estudio de la Biblia y a la oración separados de la obra de llevar almas a los pies de Cristo. Pero, si como parte de tu vida devocional incluyes la testificación, entrarás en una dimensión extraordinaria de crecimiento, que te llevará a reflejar la gloria de Dios.

"Solo cuando nos entregamos a Dios para que nos emplee en el servicio de la humanidad, nos hacemos partícipes de su gloria y carácter" (*Alza tus ojos*, p. 171).

Humberto era un anciano de iglesia comprometido con los deberes de su cargo. Sincero, buen padre de familia y esposo extraordinario. Era muy querido en la iglesia; todos lo admiraban y deseaban ser como él. Pero nadie sabía del vacío que embargaba su corazón. Pasaba noches enteras sin dormir, y no entendía la razón de su angustia. Vivía una vida ejemplar y cumplía con todo lo que se espera de un buen cristiano. Aparentemente, no había nada que pudiese perturbarlo; sin embargo era infeliz. Fue en esas circunstancias que me escribió una carta. En ella contaba las cosas buenas que había hecho para servir a Dios, y me preguntaba si la vida cristiana era solo eso, o si él estaba creando fantasías.

Mientras leía su carta noté que Humberto hablaba de todo, menos de las personas que había conducido a los pies de Jesús. Creí entonces encontrar la razón de sus problemas. Él era un cristiano que se esforzaba en orar y estudiar la Biblia diariamente, pero en los últimos meses había perdido el gusto por su devoción personal; y esto lo angustiaba. Todos lo admiraban, pero solo él sabía que estudiaba la lección de la Escuela Sabática recién el viernes en la noche, porque al día siguiente tenía que presentarla a los alumnos de su clase.

Le escribí acerca de la necesidad de todo creyente de buscar a una persona para llevarla a Cristo. Él no respondió. Pensé que no le había gustado mi respuesta, pero cierto día, en un congreso, me buscó, se identificó y me hizo recordar su carta y mi respuesta. Entonces me dijo emocionado: "Pastor, cuánta sabiduría había en sus palabras. Hoy, soy un hombre feliz, he conducido dos personas a Cristo en el último año, y siento que recuperé mi primer amor por Jesús".

Esta es la verdad más simple de aprender y sin embargo la más difícil de colocar en práctica. Nadie puede crecer en la experiencia cristiana; es imposible vivir la exuberancia de la vida victoriosa, sin incluir en la vida devocional la experiencia de traer a otra persona a los pies de Jesús.

Tal vez a estas alturas estés preocupado porque ya intentaste hacerlo muchas veces y no tuviste éxito. Permíteme decirte que no necesitas temer. La testificación es fascinante. No necesitas complicarte la vida. Es más fácil de lo que imaginas. Para empezar, te diré que no necesitas dar estudios bíblicos, ni tocar la puerta de personas desconocidas, y ni siquiera dirigir una campaña evangelizadora.

Entonces, ¿cómo vendrán las personas a Jesús? Este es el propósito de este libro: *Enseñarte a compartir a Jesús*. El día que aprendas a hacerlo, no pasará un año sin que hayas ganado un alma. Eso te hará sentir la necesidad de continuar orando y estudiando la Biblia todos los días, y al hacerlo se realizará el sueño de Dios. Estarás creciendo en tu experiencia espiritual y formarás parte de la iglesia gloriosa, sin mancha y sin arruga, que Jesús viene a buscar. ¿No te gustaría vivir esta experiencia?

PARA REFLEXIONAR

1. **¿Cuál es el sueño de Dios para nosotros?**

2. **¿Cómo se construye su reino?**

3. **¿Hasta qué punto estoy preocupado en edificar la iglesia de los sueños de Dios?**

4. **¿Qué significa preparar una iglesia que refleje el carácter de Jesús?**

5. **¿Cómo puedo entusiasmar a otros hermanos para que se comprometan en la edificación de la iglesia de los sueños de Dios?**

Capítulo 3

EL PORQUÉ DE LA MISIÓN

*E*s domingo de noche. La tristeza y el miedo dominan el ambiente. Los discípulos saben que esta será la más oscura y terrible de todas sus noches. El Maestro no está más con ellos. Ha sido clavado en una cruz, ha muerto como un delincuente. No ha reclamado ni objetado ni exigido justicia. No ha defendido su reino. Simplemente ha muerto y ya no está más con ellos. Sin embargo, lo siguen recordando. El viento helado mueve las cortinas a pesar de que las ventanas están cerradas. ¡Están muertos de miedo!

El apóstol Juan relata la historia de la siguiente manera: "Cuando llegó la noche de aquel mismo día, el primero de la semana, estando las puertas cerradas en el lugar donde los discípulos estaban reunidos por miedo de los judíos, vino Jesús, y puesto en medio, les dijo: Paz a vosotros" (Juan 20:19).

Qué bueno que Jesús siempre aparece en las noches más oscuras de la vida, cuando no sabes a dónde ir ni qué hacer;

29

cuando piensas que llegaste al fin de la línea, Jesús siempre está allí, dispuesto a traer paz al corazón.

Jesús apareció a sus discípulos en aquella noche oscura de domingo para resolver un problema que los estaba destruyendo. Estaban con miedo. El miedo paraliza, no te deja ser feliz, te anula, te quita las ganas de vivir. Una persona con miedo es incapaz de vencer, de realizarse y de crecer. Jesús tenía que ayudarlos a vencer el miedo. Por eso se les presentó aquella noche y les dijo: "Paz a vosotros. Como me envió el Padre, así también yo os envío" (Juan 20:21).

Qué extraña manera de resolver el problema del miedo. Según Juan, Jesús les confió la misión a los discípulos con el propósito de ayudarles a vencer el temor. Mientras ellos estuviesen ocupados en cumplir la misión, no habría lugar para el miedo. Serían victoriosos y valientes, intrépidos testigos del amor de Jesús por ellos.

Hay cristianos que, a pesar de haber conocido a Jesús, viven dominados por el miedo. Tienen miedo de la persecución, del pasado, del futuro, de la muerte, de no salvarse, de no estar haciendo la voluntad de Dios, en fin, de muchas cosas. La iglesia gloriosa que espera la venida de Cristo no puede ser una iglesia medrosa. El remedio para el miedo, en la opinión de Jesús, es comprometerse con la misión. Una persona dedicada a compartir a Cristo no tiene tiempo para ser dominada por la ansiedad y el temor.

Veamos ahora lo que nos dice Mateo respecto del propósito de darles una misión: "Pero los once discípulos se fueron a Galilea, al monte donde Jesús les había ordenado. Y cuando le vieron, le adoraron; pero algunos dudaban. Y Jesús se acercó y les habló diciendo: Toda potestad me es dada en el cielo y en la tierra. Por tanto id, y haced discípulos a todas las naciones" (Mat. 28:16-19).

Según Mateo, el problema que dominaba a los discípulos en ocasión de la resurrección de Cristo era el problema de la duda. "Algunos dudaban". Una vida llena de duda no puede ser feliz. Un cristianismo salpicado de dudas no es saludable. La iglesia de los sueños de Dios no abriga duda ni desconfianza en su corazón. Una vida que duda está en proceso de destrucción. El cristianismo es una experiencia de confianza y de certidumbre. En una experiencia así, no hay lugar para la duda. ¿Qué hizo Jesús para ayudar a sus discípulos a resolver el problema de la duda? No se detuvo a explicarles nada, simplemente les confió la misión. Les dijo: "Por tanto id, y haced discípulos a todas las naciones". En la opinión de Jesús, el mejor remedio para la duda, la desconfianza, la herejía o la disidencia es el compromiso con la misión. En la vida de una persona que está comprometida en llevar a otras personas a Cristo, no hay lugar para la duda.

¿Y Marcos? ¿Qué es lo que dice Marcos con relación a la misión? "Finalmente se apareció a los once mismos, estando ellos sentados a la mesa, y les reprochó su incredulidad y dureza de corazón, porque no había creído a los que le habían visto resucitado. Y les dijo: Id por todo el mundo y predicad el evangelio a toda criatura" (Mar. 16:14, 15).

En la opinión de Marcos, el problema de los discípulos era la "incredulidad y dureza de corazón". Ellos no tenían la capacidad de creer. Eran duros de corazón. Y como un remedio para ese problema, Jesús les confió la misión. Nada ayuda más a la persona dominada por la incredulidad que el compromiso con la misión.

Cuando yo era un joven pastor, un hermano se aproximó a mí con aire de incredulidad y me dijo:

—Pastor, yo creo que usted inventa las historias de conversión que siempre cuenta en sus sermones. Yo nunca vi a alguien con una experiencia semejante a la que usted relata.

—¿Y cuántas personas ha traído usted a Jesús? —le pregunté.

El hombre bajó los ojos, avergonzado, pero para animarlo le pedí que me acompañara a la tarde a visitar una prisión donde yo estaba realizando una serie de reuniones con personas que pagaban por sus delitos. Este hermano se entusiasmó tanto con el trabajo que a los pocos meses quedó encargado de las reuniones en la prisión, y cada vez que venía a contarme una historia extraordinaria, yo lo miraba sonriendo y le decía: "Mira, hermano, cuéntame otra, porque esa no te la creo".

Él se reía. Su problema estaba resuelto. En la vida de una persona comprometida con la misión no hay lugar para la incredulidad y la dureza de corazón.

Finalmente quiero que veas lo que Lucas dice en relación con el porqué de la misión. "Entonces, espantados y atemorizados, pensaban que veían un espíritu. Pero él les dijo: ¿Por qué estáis turbados y vienen a vuestro corazón estos pensamientos?... Y les dijo: Así está escrito, y así fue necesario que el Cristo padeciese, y resucitase de los muertos al tercer día; y que se predicase en su nombre el arrepentimiento y el perdón de pecados en todas las naciones" (Luc. 24:37, 38, 46, 47).

De acuerdo con el relato de Lucas, el problema de los discípulos en esta ocasión era el espanto y el temor. Todo los asustaba; no tenían confianza en las promesas divinas; vivían en permanente estado de sobresalto. Y Jesús, para ayudarlos a vencer este problema, les confió la misión.

Después de participar de un seminario de evangelismo donde hablé de la importancia de la participación de cada cristiano, un compañero de ministerio en el cumplimiento de la misión me relató la historia de una dama, miembro de su iglesia, que vivía solicitando una visita pastoral, porque en la opinión suya, su vecina era una hechicera y había amenazado seducir a su esposo. La hermana vivía en permanente temor. Todo la asustaba, vivía en constante estado de espanto. Cada vez que llovía y los truenos retumbaban en el cielo, lo primero que ella hacía era llamar al pastor y pedirle que orase "aunque sea por teléfono".

El colega me dijo: "No podía alimentar más la dependencia de mí que esta hermana estaba desarrollando, así que un día le dije: 'Mi querida hermana, yo voy a seguir orando por usted cuantas veces quiera, a cualquier hora, pero con una condición: Le voy a dar el nombre de esta persona y quisiera que usted se encargue de visitarla y de estudiar la Biblia con ella'. Ella aceptó, pero a las pocas semanas paró de llamarme".

Esa hermana estaba tan entusiasmada con la misión de conducir a otra persona a los pies de Jesús que en su vida no existía más lugar para el espanto ni el temor. Su problema había sido resuelto.

Ah, querido, cuando el Señor Jesús nos confió la misión de traer personas a su reino, no fue porque él no pudiese evangelizar al mundo. Dios es Dios. Para él no hay nada imposible. Mira lo que dice el espíritu de profecía: "Dios podría haber alcanzado su objeto de salvar a los pecadores, sin nuestra ayuda" (*El Deseado de todas las gentes*, p. 116).

Podría. ¿Entiendes? No lo hace porque no quiere, ni porque no puede. A veces escuchamos por allí que debemos predicar el evangelio para terminar la obra, porque si no lo hacemos Jesús no va a volver. Eso no es verdad. Cuando en la agenda divina llegue el día y la hora de la venida de Jesús, el Padre lo enviará. Puedes estar seguro de eso. Su venida no depende de nuestro trabajo. Predicar el evangelio a todo el mundo en un instante no sería problema para Dios. Él podría hacerlo personalmente o mediante los ángeles. "Dios podría haber proclamado su verdad mediante ángeles inmaculados" (*Los hechos de los apóstoles*, p. 266).

Ellos estarían dispuestos a cumplir la misión, pero ellos no lo necesitan. Es el ser humano el que necesita hacerlo. Eso está claro en la siguiente declaración: "El ángel enviado a Felipe podría haber efectuado por sí mismo la obra a favor del etíope" (*Los hechos de los apóstoles*, p. 90).

Si el ángel tenía el mensaje en sus manos, ¿por qué perdió tiempo buscando a Felipe? Él mismo podría haber buscado al etíope. Pero no lo hizo, porque el ángel no necesitaba crecer en su experiencia espiritual. La misión le fue confiada al ser humano que creciera en su experiencia con Cristo. Dios tiene otros medios de predicar el evangelio. Pero si deseamos formar parte de la iglesia que refleje la gloria de Dios y esté preparada para encontrarse con Jesús cuando él vuelva, necesitamos participar de la misión: "Solo cuando nos entregamos a Dios para que nos emplee en el servicio de la humanidad, nos hacemos partícipes de su gloria y carácter (*El Deseado de todas las gentes*, p. 71). La misión es el instrumento divino para el crecimiento del cristiano. Esta no es una actividad que pueda ser hecha solo por un grupo de voluntarios. La misión es de cada individuo, porque cada individuo necesita crecer.

"Los dirigentes de la iglesia de Dios han de comprender que la comisión del Salvador corresponde a todo el que cree en su nombre" (*Los hechos de los apóstoles*, pp. 90, 91). Esta declaración es dramática. Los dirigentes somos llamados a entender que el crecimiento de la iglesia no es solo contratar a un grupo de instructores bíblicos y evangelistas profesionales para bautizar a muchos, y así aumentar el número de miembros. Las campañas de evangelismo, el trabajo de los instructores bíblicos y el bautismo de las personas tienen sentido, y es maravilloso cuando es el resultado del trabajo individual de cada cristiano. Pero si esas actividades fomentan el crecimiento de las estadísticas y dejan al miembro de iglesia de brazos cruzados, entonces la iglesia fracasó. Esto es lo peor que le puede suceder.

El siguiente capítulo muestra de manera simple cómo el cristiano puede llevar a otros a Cristo.

PARA REFLEXIONAR

1. ¿Cuál es el propósito final de la misión?

2. ¿Están en un mismo nivel la oración, el estudio de la Palabra y la misión?

3. ¿Considero que el pastor es el responsable último de la misión?

4. ¿Cómo me siento cuando estoy de brazos cruzados en la iglesia?

5. Si no sé dar estudios bíblicos, ¿qué otra cosa puedo hacer por la misión?

Capítulo 4

EL EVANGELIO SE HIZO CARNE

"**P**astor, ayúdeme por favor, hace veinte años que estoy en la iglesia y aún no he llevado a una persona a Cristo. ¡Tengo miedo de perderme!" El clamor de este hermano es la preocupación silenciosa de muchos cristianos que desean participar de la misión, y sin embargo tienen miedo. Este capítulo tiene como objetivo mostrar que compartir a Jesús es algo natural en la vida de quien ha encontrado a Jesús.

Para entender cuál es la mejor manera de evangelizar o llevar personas a Cristo, necesitas entender el concepto divino de evangelización. ¿Qué hizo Dios para dar salvación a los seres humanos? ¿De qué forma los alcanzó con el mensaje del evangelio? ¿Cómo inició su proceso de evangelización? Veamos todo desde el mismo principio. El apóstol Juan dice: "En el principio era el Verbo, y el Verbo era con Dios, y el Verbo era Dios" (Juan 1:1).

Dios el Padre estaba en el cielo con su Hijo. El Señor Jesucristo no era solo el Hijo, era también el Verbo, la Palabra. En su ministerio y en su persona estaban contenidos el mensaje, el evangelio, la salvación. Nada de esto existe sin Jesús. Y el Padre necesitaba llevar el evangelio al mundo porque anhelaba salvar a sus hijos y darles las buenas nuevas de redención: evangelizarlos. ¿Cómo lo hizo? El versículo 14 afirma: "Y aquel Verbo fue hecho carne, y habitó entre nosotros (y vimos su gloria, gloria como del unigénito del Padre), lleno de gracia y de verdad" (Juan 1:14).

El proceso de evangelización empieza aquí. El Verbo se hizo carne; se humanizó. Y habiendo tomado la forma humana, nacido como un niño, se movió entre los hombres; caminó entre ellos, "lleno de gracia y de verdad"; y vio el dolor, la lucha y las dificultades que ellos enfrentaban; contempló los daños que el pecado había hecho y tuvo compasión de ellos y los amó hasta la muerte.

Pero mientras Jesús cumplía su ministerio y se movía entre los seres humanos, sucedió otra cosa. Los hombres también lo vieron, y al mirarlo percibieron la gloria de Dios en él. La expresión "gloria de Dios" es clave para entender la evangelización desde el punto de vista divino. El mundo de los días de Jesús fue evangelizado porque el "Evangelio" se hizo carne y anduvo entre los hombres, reflejando la gloria del Padre. Evangelizar, para Juan, es hacer que el evangelio salga de la teoría y se transforme en carne, en experiencia y en vida. Para ti y para mí es más fácil creer en lo que vemos que en lo que nos dicen. Para que los hombres puedan creer en Dios, necesitan ver la gloria de Dios.

Evangelizar es mostrar la gloria de Dios a los seres humanos. Esa gloria es el carácter de Dios. Así fue que Jesús evangelizó al mundo. "El que me ha visto a mí, ha visto al Padre" (Juan 14:9), afirmó. Él era la encarnación del evangelio; él era la luz que vino a alumbrar a este mundo de tinieblas. "En él estaba la vida y la vida era la luz de los hombres" (Juan 1:4).

Mientras Jesús estuvo entre los hombres dijo: "Entre tanto que estoy en el mundo, luz soy del mundo" (Juan 9:5). Pero antes de subir al Calvario declaró: "Aún por un poco está la luz entre vosotros" (Juan 12:35). ¿Por qué Jesús era la luz? Porque era el evangelio hecho carne y reflejaba la gloria de Dios.

Pero Jesús murió, resucitó y volvió al Padre, y ahora se dirige a nosotros y dice: "Vosotros sois la luz del mundo" (Mat. 5:14). Y el apóstol Pablo enfatiza: "Ahora sois luz en el Señor, andad como hijos de luz" (Efe. 5:8). Pablo es categórico al afirmar: "Vosotros sois hijos de la luz". ¿De qué luz? De Jesús, Aquel que dijo: "Yo soy la luz del mundo". Y si somos hijos de la luz, nos transformamos también en luz y reflejamos la gloria del Padre, como lo hizo el Señor Jesús. Por eso, en el mismo capítulo cinco de la carta a los Efesios, Pablo presenta a la iglesia de los sueños de Dios como una comunidad "gloriosa, sin mancha, ni arruga, ni cosa semejante" (vers. 27). La palabra clave vuelve a ser la expresión "gloriosa". Los cristianos, en cuya vida el evangelio se hizo carne, forman parte de la iglesia gloriosa porque reflejan el carácter de Jesús.

Permítame, sin embargo, desarrollar el concepto de la luz. Mientras Jesús estaba en la tierra, él era la luz del mundo. Hoy, lo somos nosotros. ¿Cuál es la misión de la luz? Alumbrar. ¿Y cómo cumple su misión? No hace ninguna campaña para alumbrar. Simplemente alumbra, porque es luz. Lo único que se necesita para iluminar un lugar dominado por las tinieblas es la luz. La mejor manera de alumbrar un lugar oscuro es encender la luz. Habiendo luz, no hay tinieblas. Nosotros somos la luz de este mundo. Iluminar este mundo de pecado con la luz del evangelio es evangelizar. Todo lo que necesitamos para evangelizar el mundo es que el evangelio se haga carne en nuestra vida, convertirnos en luces. Por eso Jesús dijo: "Una ciudad asentada sobre un monte no se puede esconder" (Mat. 5:14).

Es imposible que la luz no alumbre. Si cada cristiano es una lámpara encendida, si el evangelio se hace carne en cada vida, si cada uno refleja la gloria de Dios, es imposible que el mundo deje de ser evangelizado. Lo primero que necesitamos para hacer evangelismo es que el evangelio sea encarnado en nuestras vidas. Si creemos que esto es obvio, y estamos más preocupados en descubrir estrategias y métodos para aumentar el número de miembros, empezamos de manera equivocada y con toda seguridad fracasaremos.

El Señor Jesús repitió este concepto de evangelización de muchas maneras. En otra ocasión, dijo: "Vosotros sois la sal de la tierra" (Mat. 5:13). ¿Cuál es la misión de la sal? Dar sabor a los alimentos. ¿Y cómo lo hace? No realiza ninguna campaña. Simplemente se diluye entre los elementos de la comida y transforma el sabor. Nosotros somos la sal de esta tierra. Necesitamos movernos entre los seres humanos, reflejando la gloria de Dios, y transformaremos hasta las propias estructuras del mundo. La masa no resiste el poder de la levadura (ver Mat. 13:33). Nosotros somos la levadura. La tierra no resiste al poder de una semilla que germina y brota (ver Mat. 13:31). Nosotros somos la semilla.

Ninguno de estos elementos que simbolizan la iglesia de

Dios alcanza su misión mediante campañas misioneras. Mientras los miembros no asuman su papel de luz, de sal, de levadura y de semilla, viviremos inventando "métodos", como sustitución de la misión evangelizadora que Cristo dejó a su iglesia. Los líderes tenemos la responsabilidad de recordar cuál es el plan de Dios para su iglesia.

En el plan divino, los cristianos en cuya vida el evangelio se haya hecho carne, deben andar en el mundo llenos de "gracia y de verdad". ¿Qué quiere decir esto? La palabra verdad, en griego, es *aleteia,* que significa literalmente "abrir la ventana", "que no está cerrado", "transparente". Para vivir la verdad con transparencia, el cristiano necesita reflejar el carácter de Jesucristo, y la sierva del Señor dice: "Dios podría haber alcanzado su objeto de salvar a los pecadores sin nuestra ayuda; *pero a fin de que podamos desarrollar un carácter como el de Cristo*, debemos participar en su obra" (*El Deseado de todas las gentes*, p. 116).

David lo explica mejor: "Jehová, ¿quién habitará en tu tabernáculo? ¿Quién morará en tu monte santo? El que anda en integridad y hace justicia, y habla verdad en su corazón" (Sal. 15:1, 2). Aquí, la palabra "verdad" en el original hebreo es *emeth*, que significa, "seguro", "sólido", "firme", "consistente". Para que los cristianos anden en la verdad, en firmeza, en solidez y consistencia, "debe hacerse obra bien organizada en la iglesia, para que sus miembros sepan cómo impartir la luz a otros, y así *fortalecer su propia fe* y aumentar su conocimiento. Mientras impartan aquello que recibieron de Dios, serán *confirmados* en la fe. Una iglesia que trabaja es una iglesia viva" (*Joyas de los testimonios* t. 3, p. 68).

A esta altura del libro, debes haber notado que llevar

gente a los pies de Jesús es al mismo tiempo causa y efecto. Testificas porque reflejas la gloria de Dios, pero reflejas la gloria de Dios porque testificas. Una experiencia no existe sin la otra. Ambas van unidas, ambas dependen de la otra. Creces en la experiencia cristiana porque testificas, y testificas porque el carácter de Jesús se refleja en tu vida.

El problema surge cuando queremos separar ambas experiencias. Anhelamos crecer en la vida espiritual sin darle importancia al hecho de compartir a Jesús. O, por otra parte, anhelamos llevar personas a Jesús mediante métodos humanos, olvidándonos que en la mente divina la testificación es el resultado de reflejar su gloria y su carácter. Es la consecuencia de compartir a Jesús.

La vida de un cristiano equilibrado y maduro ilumina a otros porque el carácter de Jesús está reproducido en el suyo. Cuando anda por las calles, es Jesús el que anda en él. Al relacionarse con los vecinos, amigos y familiares que todavía no conocen el evangelio, es Jesús el que se relaciona con ellos. "El que me ha visto a mí, ha visto al Padre", dice Jesús (Juan 14:9). Y quien ve al cristiano, ve a Jesús. "Ya no vivo yo, mas vive Cristo en mí", afirma el apóstol Pablo (Gál. 2:20).

Este concepto lo encontramos desarrollado por Jesús en dos parábolas registradas en el evangelio de Mateo. En la parábola del sembrador, la semilla es la Palabra de Dios (Mat. 13:19). Pero en la siguiente parábola, la de la cizaña, la semilla ya no es la Palabra, sino los hijos del reino que recibieron la Palabra (Mat. 13:38). Observa cómo la Palabra se hace carne en los hijos del reino, y en seguida, estos pasan a ser la semilla.

Jesús trabajaba de esta manera. "A menudo, los moradores

de una ciudad en la cual Cristo había trabajado, expresaban el deseo de verlo establecerse en su medio y continuar su obra. Pero él les decía que su deber era ir a otras ciudades que no habían oído las verdades que debía presentar. Después de haber dado la verdad a los habitantes de una localidad, dejaba al cuidado de ellos el continuar lo que él había empezado, y se iba a otro lugar. Sus métodos de trabajo deben ser seguidos hoy por aquellos a quienes él confió su obra" (*Consejos sobre la salud*, p. 393).

Jesús sembraba la semilla en el corazón de las personas y esperaba que ellas llegasen a ser la semilla del evangelio. Ahí se iniciaba el efecto multiplicador. Nadie necesita asustarse con la idea de llevar personas a Cristo. No es un trabajo difícil. Es simplemente vivir, ser lo que eres, transformado por Jesús. Es realizar todas tus actividades, pero con el propósito de compartir con otros las buenas nuevas que te trajeron paz al corazón. No tienes que separar un tiempo adicional a tu recargado programa de vida para "hacer trabajo misionero". Es simplemente ser luz, alumbrar, moverte entre tus amigos, tus familiares, vecinos y colegas; ser tú. Solo esto.

"Pero pastor, ¿usted cree que solo con eso las personas van a ir a Jesús? ¿Y a qué hora les doy estudios bíblicos?"

Calma. No te apresures. Todo tiene su tiempo, dijo el sabio. Por el momento empieza a vivir tu maravillosa experiencia de amor con Cristo. Nada más. Después vendrán los otros pasos.

A lo largo de la historia, el Espíritu de Dios ha trabajado en muchos corazones. Un hombre entró borracho a una reunión. Durante toda su vida había sido esclavo del vicio, había golpeado a su esposa, maltratado a sus hijos y malgastado el dinero en bebidas. Pero una noche vio la iglesia abierta y cansado entró, se sentó y se durmió. Sin embargo, en medio de la penumbra de su conciencia entorpecida por el licor, el Espíritu de Dios usó mis palabras para tocar su corazón. Y cuando hice un llamado para que las personas se levantaran y pasaran al frente, él pasó tambaleándose. Todos pensaban que la decisión de un borracho no valía. "¿Para qué vamos a tomar su nombre? No sabe ni lo que está haciendo", dijo un diácono. Pero el Espíritu de Dios había tocado su corazón, y aunque no tenía conciencia completa de las cosas, creyó que Jesús podía hacer un milagro.

La siguiente noche volvió a la reunión, pero ya no estaba borracho; y así la siguiente noche, y la siguiente. Y cuando terminó aquella campaña evangelizadora, el borracho había terminado un curso de estudios bíblicos y había entregado su corazón a Jesús. Jesús cambió su vida completamente, arrancó su corazón de piedra, le dio un corazón de carne, y poco después este hombre les estaba pidiendo perdón a su esposa y a sus hijos por la vida dura que les había hecho pasar.

Ellos le preguntaron: "¿Qué te ha pasado? ¿Qué está sucediendo contigo?"

—Vengan conmigo y verán lo que me está pasando —él les dijo.

Una noche llegó a la iglesia con la esposa y con los hijos. Y cuando hice otro llamado, la esposa y los hijos también pasaron adelante. Al terminar la campaña evangelizadora, toda la familia se bautizó. Hoy es una familia feliz. Uno de los hijos creció e ingresó en una de nuestras facultades de Teología para prepararse y ser un pastor.

Este borracho, con una vida destruida, arruinada por el pecado, fue transformado cuando en la inconciencia de su embriaguez clamó a Dios y le dijo: "Señor, toma mi corazón, dame un corazón de carne".

Ahora, este cristiano, en cuya vida el evangelio se hizo carne, pasó a vivir el resto de su vida enamorado del Señor Jesucristo, testificando y contando a otras personas lo que Jesús había hecho en su vida. Porque cuando Jesús entra en tu corazón, lo que más te alegra es contarle a otros lo que él hizo por ti. Recibes la semilla, que es la Palabra, y en seguida te vuelves semilla para anunciar las buenas nuevas de salvación a otros.

PARA REFLEXIONAR

1. **¿Cómo evangelizó Dios al mundo? Reflexiona en el modo en que Dios se hizo carne para evangelizar al mundo.**

2. **¿Cómo evangelizaba Jesús en su tiempo?**

3. **¿Qué significa la evangelización en tu vida?**

4. **¿Qué relación existe entre la evangelización y la gloria de Dios?**

5. **¿Qué relación tiene la gloria de Dios con la idea de preparar a un pueblo para la venida de Jesús?**

Capítulo 5

¿CÓMO DESEABA JESÚS EVANGELIZAR AL MUNDO?

Mañana de sol en las tierras de Galilea. Juan y dos de sus discípulos caminan por las tierras polvorientas de aquellas colinas. De repente, Juan ve a Jesús, se detiene y lo señala con su dedo. El incidente está narrado de la siguiente manera: "El siguiente día otra vez estaba Juan, y dos de sus discípulos. Y mirando a Jesús que andaba por allí, dijo: He aquí el Cordero de Dios" (Juan 1:35 y 36).

Juan exalta a Jesús. Y, ¿qué sucede? El versículo 37 dice: "Le oyeron hablar los dos discípulos, y siguieron a Jesús". Este será siempre el resultado de levantar al Señor. El propio Jesús dijo un día: "Y yo, si fuere levantado de la tierra, a todos atraeré a mí mismo" (Juan 12:32).

Cuando Jesús es levantado delante de los hombres, nadie resiste. Hay en el Maestro de Galilea una atracción maravillosa que derrite los corazones; nadie discute ni argumenta. Las personas simplemente caen a sus pies y lo aceptan como su Salvador. Esto fue lo que hicieron los discípulos de Juan:

lo siguieron y se quedaron con él. Ellos nacieron en el reino de Dios.

¿Y qué dice el espíritu de profecía respecto de los que nacen en el reino de Dios? "Cada verdadero discípulo nace en el reino de Dios como misionero" (*El Deseado de todas las gentes,* p. 166).

Un misionero es aquel que cumple la misión. Descubre el gran amor de su vida y no puede permanecer callado; necesita compartir su descubrimiento con otros.

Cumplir la misión no es hacer proselitismo; no es intentar que las personas salgan de su iglesia y pasen a otra; no es hacer que las personas cambien de religión, sino de vida. Estar en la iglesia es el resultado natural de haber cambiado de vida. Personas que un día estaban con la vida y el hogar destruidos, que no sabían qué hacer ni a dónde ir, que pasaban noches enteras sin dormir por causa del vacío interior, un día se encuentran con Jesús y no pueden permanecer en silencio. Salen y cuentan lo que sucedió con ellas. Es una compulsión nacida del amor, una motivación que brota de una nueva perspectiva de la vida.

Esto fue lo que sucedió con los discípulos de Juan. El texto bíblico afirma: "Andrés, hermano de Simón Pedro, era uno de los dos que habían oído a Juan, y habían seguido a Jesús. Éste halló primero a su hermano Simón, y le dijo: Hemos hallado al Mesías, que traducido es, el Cristo" (Juan 1:40 y 41).

Andrés halló primero a Pedro. El verbo clave aquí es "hallar". Tú no puedes hallar lo que no buscas. Andrés buscó a Pedro. La maravilla de su descubrimiento era tan grande que no podía permanecer callado, así que fue corriendo a buscar a otra persona para traerla a Jesús. ¿A quién podría buscar? Andrés buscó a Pedro. Pedro, además de ser su hermano, era su colega. Ambos eran pescadores.

Está probado que el testimonio de un conocido es más efectivo que el de un desconocido. Especialmente en nuestros días. Hoy, todo el mundo sospecha de todo el mundo; existe mucha violencia. Gente buena, que abre las puertas o entabla conversación con un desconocido, con frecuencia es víctima de violencia. Ya no se confía en un desconocido; nadie quiere oír a un extraño. Por eso, cada vez es más difícil evangelizar a las personas desconocidas. A pesar de esto, insistimos en querer entrar a las casas de personas desconocidas para evangelizarlas; y cuando no somos bien recibidos, argumentamos que el terreno es difícil y tratamos de descubrir un método que haga que los extraños nos escuchen.

El evangelio relata cómo Dios quería evangelizar al mundo. Si hubiésemos seguido el ejemplo bíblico, el mundo ya estaría evangelizado. Toda tribu, lengua y pueblo ya conocería el plan de salvación, y Jesús ya habría regresado. No estaríamos peregrinando por este mundo de dolor y muerte.

"Si el propósito de Dios de dar al mundo el mensaje de misericordia hubiese sido llevado a cabo por su pueblo, Cristo habría venido ya a la tierra, y los santos habrían recibido su bienvenida en la ciudad de Dios (*Joyas de los Testimonios*, t. 3, p. 72.).

¿Qué es lo que hizo Andrés para iniciar su trabajo de evangelización? No buscó a un desconocido. No fue a tocar las puertas de personas extrañas. Buscó a su hermano y compañero de trabajo y le dijo: "Hemos hallado al Mesías". ¿Y cuál fue el resultado de hablar de Jesús a un conocido? Pedro fue con Andrés a ver al Señor.

La misión del cristiano es compartir a Jesús. Es el Señor de la salvación el que toca los corazones y convierte a las personas. Pero tiene que haber un Andrés consciente de su misión que busque a un Pedro y lo lleve a Jesús.

"En su sabiduría, el Señor pone a los que buscan la verdad en relación con semejantes suyos que conocen la verdad. Es plan del Cielo que los que han recibido la luz la impartan a los que están todavía en tinieblas" (*Los hechos de los apóstoles,* p. 109).

El texto bíblico sigue relatando lo que sucedió cuando Andrés condujo a Pedro a Jesús. "Y le trajo a Jesús. Y mirándole Jesús, dijo: Tú eres Simón, hijo de Jonás; tú serás llamado Cefas, que quiere decir, Pedro (Juan 1:42). En una sola frase, el Señor describe el pasado, el presente y el futuro de Pedro. Yo conozco tus raíces, le dice: "Tú eres hijo de Jonás". Pero también conozco tu presente: "Tú eres Simón". Sin embargo, lo que realmente importa es lo que llegarás a ser transformado por mi gracia: "Tú serás llamado Cefas, que quiere decir Pedro".

Aquel encuentro con Jesús cambió la vida de Pedro. El hermano de Andrés salió de allí con el corazón repleto de felicidad, con una nueva visión de la vida y con unas ganas locas de contar a otros lo que Jesús había hecho en su vida. ¿Y qué hizo? ¿Buscó a un extraño para contarle su maravilloso encuentro con Jesús? No. A los extraños difícilmente les interesa lo que ocurre en la vida de un desconocido. Cada uno está ocupado en sus propios problemas. Por lo tanto, Pedro no buscó a una persona extraña. El texto no lo dice explícitamente, pero el contexto sí, en el siguiente versículo:

"El siguiente día quiso Jesús ir a Galilea, y halló a Felipe, y le dijo: Sígueme. Y Felipe era de Betsaida, la ciudad de Andrés y Pedro" (vers. 43, 44). Esta última frase lo explica todo. "Felipe era de Betsaida, la ciudad de Andrés y de Pedro". ¿Por qué piensas que esa frase está allí? ¿Qué es lo que Juan quiso decir?

Betsaida era una región pequeña. Y en los alrededores de Betsaida estaba Capernaúm, que también era una ciudad pequeña. En las ciudades pequeñas todos se conocen. Pedro y Felipe eran vecinos. ¿Y qué hacen las personas que aceptan a Jesús como su Salvador?

"En el círculo de la familia, en los hogares de nuestros vecinos, al lado de los enfermos, muy quedamente podemos leer las Escrituras y decir una palabra en favor de Jesús y la verdad" (*Joyas de los testimonios,* t. 3, p. 62).

Entonces Pedro buscó a su vecino Felipe y le contó su gran descubrimiento. El resultado es que Felipe se convirtió, y con él también ocurrió lo que sucede con toda persona que se convierte. "El primer impulso del corazón regenerado es el de traer a otros también al Salvador" (*El conflicto de los siglos,* p. 76).

Pero, nota lo que Felipe hizo para testificar: "Felipe halló a Natanael, y le dijo: Hemos hallado a aquél de quien escribió Moisés en la ley, así como los profetas: a Jesús, el hijo de José, de Nazaret" (vers. 45).

"Felipe sabía que su amigo Natanael escudriñaba las profecías, y lo descubrió en su lugar de retiro mientras oraba debajo de una higuera, donde muchas veces habían orado juntos, ocultos por el follaje" (*El Deseado de todas las gentes,* pp. 113, 114).

Observa la palabra "amigo" y la expresión "orado juntos". Esto es clave si queremos tener éxito en el cumplimiento de la misión: La amistad. Un amigo que le cuenta al otro lo que Jesús hizo en su vida.

Fue así que comenzó a divulgarse el evangelio y a formarse la iglesia cristiana, y nosotros, si queremos terminar la misión, necesitamos también enseñar a cada miembro de iglesia a buscar a un familiar, a un conocido, a un compañero de trabajo o a un amigo, para conducirlo a Jesús. Elena G. de White afirma: "Con el llamamiento de Juan, Andrés, Simón, Felipe y Natanael, empezó la fundación de la iglesia cristiana. Juan dirigió a dos de sus discípulos a Cristo. Entonces uno de éstos, Andrés, halló a su hermano, y lo llevó al Salvador. Luego Felipe fue llamado, y buscó a Natanael. Estos ejemplos deben enseñarnos la importancia del esfuerzo personal, de dirigir llamamientos directos a nuestros parientes, amigos y vecinos" (*Servicio Cristiano*, p.148).

En 1886, la sierva del Señor decía: "Resulta sumamente difícil atraer a la gente. El único método que hemos descubierto que tiene éxito consiste en llevar a cabo reuniones de estudios bíblicos, mediante las cuales se consigue el interés de una, dos o tres personas; *luego éstas, visitan a otras y procuran interesarlas*, y en esta forma la obra progresa lentamente como ha ocurrido en Lausana" (*El evangelismo*, p. 301).

La expresión "luego éstas, visitan a otras y procuran interesarlas" es más que interesante. Ella también seguía la dinámica de la testificación instituida por Jesús: Un cristiano que busca a un conocido y lo lleva a Jesús.

"Son muchos los que necesitan el ministerio de corazones cristianos amantes. Muchos han descendido a la ruina cuando podrían haber sido salvados, si sus vecinos, hombres y mujeres comunes, hubiesen hecho algún esfuerzo personal en su favor. Muchos están aguardando a que se les hable personalmente. En la familia misma, en el vecindario, en el pueblo en que vivimos, hay para nosotros trabajo que debemos hacer como misioneros de Cristo" (*Conflicto y valor*, p. 280).

Pero, si vamos a depender de la testificación personal, ¿cómo terminaremos la misión en un mundo tan heterogéneo y vasto? ¿No habrá sido esta una manera de evangelizar el mundo en aquellos tiempos cuando no existía la tecnología de nuestros días? Tal vez. Pero la testificación personal tiene una velocidad vertiginosa, mucho más extraordinaria de lo que uno puede imaginar. Porque, mientras Andrés buscaba a Pedro, Juan buscaba a otro; y mientras Pedro iba en pos de Felipe, Juan y Andrés estaban buscando a otros. Quiere decir que el crecimiento no sería aritmético, sino geométrico: 2, 4, 8, 16, 32, 64... ¿Imaginas en cuanto tiempo se alcanzaría a los más de seis mil millones de seres humanos que pueblan la tierra? Cuando menospreciamos la posibilidad, el potencial y la eficacia del testimonio personal, cometemos un grave error. No tenemos la mínima idea de lo que significa la multiplicación celular o la energía atómica.

En todas las iglesias donde presento un seminario acerca del crecimiento, realizo una encuesta entre las personas presentes para mostrar el poder de la testificación de un amigo. Puedes hacerla en tu iglesia, y el resultado no será muy diferente. En porcentaje, las causas por las que una persona llega a los pies de Jesús son las siguientes:

- ◆ Porque un desconocido o extraño tocó su puerta y le habló de Jesús o le invitó a la iglesia. 1,0%

- ◆ Porque estudió en una escuela o matriculó un hijo en una escuela adventista 0,7%

- ◆ Porque escuchó un programa de radio o vio un programa de televisión con el mensaje adventista. 0,3%

- ◆ Porque encontró, sin la participación de nadie, un libro, una revista o un folleto con el mensaje. 1,9%

- ◆ Porque entró a una serie de evangelismo llevado por la propaganda escrita, radial o televisada. 0,6%

- ◆ Porque nació en la iglesia 29,1%

- ◆ Porque un vecino, amigo, familiar, o compañero de trabajo o estudio le habló de Jesús, lo invitó a la iglesia, o le entregó alguna publicación con el mensaje. . . 66,4%

El resultado es el mismo en todos los lugares. Esto no disminuye la importancia de la obra educativa, radial, televisiva o de publicaciones. En absoluto. La obra de publicaciones, por ejemplo, es una bomba de tiempo, para el bien. Es imposible calcular el efecto positivo de las publicaciones en el trabajo de evangelización. Estos datos muestran simplemente que todos esos instrumentos sirven de apoyo al trabajo personal del miembro de iglesia, que busca a las personas de su círculo para llevarlas a Jesús.

El énfasis en la testificación personal fue dado por Jesús antes de subir al cielo: "Me seréis testigos". Un testigo es alguien que afirma algo que ha presenciado o ha probado. Esto era lo que hacían los primeros cristianos. Juan dijo: "Lo que era desde el principio, lo que hemos oído, lo que hemos visto con nuestros ojos, lo que hemos contemplado, y palparon nuestras manos tocante al Verbo de vida... lo que hemos visto y oído, eso os anunciamos" (1 Juan 1: 1 y 3). Cada cristiano es un testigo del amor de Cristo. Cada cristiano posee un efecto multiplicador elevado a la infinita potencia. Cada cristiano es una luz encendida que manifiesta la gloria de Dios por donde pasa. Cristo mismo nos ha dado el ejemplo de cómo debemos trabajar. Leamos el capítulo cuatro de Mateo y aprendamos los métodos que Cristo, el Príncipe de la vida, siguió en su enseñanza:

"Y dejando a Nazaret, vino y habitó en Capernaúm, ciudad marítima, en la región de Zabulón y de Neftalí, para que se cumpliese lo dicho por el profeta Isaías, cuando dijo: Tierra de Zabulón y tierra de Neftalí, camino del mar, al otro lado del Jordán, Galilea de los gentiles; el pueblo asentado en tinieblas *vio gran luz*; y a los asentados en región de sombra de muerte, *luz les resplandeció*" (Mat. 4:13-16).

"Luz les resplandeció". ¿Qué luz? La gloria de Dios reflejada en la vida de Jesús. Este proceso se repitió en la vida y obra de los discípulos, que iban compartiendo a Jesús entre sus conocidos.

"Debemos salir a proclamar la bondad de Dios y a poner de manifiesto su verdadero carácter ante la gente. Debemos reflejar su gloria. ¿Hemos hecho esto en el pasado? ¿Hemos revelado el carácter de nuestro Señor por precepto y ejemplo?" (*Fe y obras*, p. 61).

El mundo ya estaría evangelizado si hubiéramos seguido

el plan maestro de Jesucristo y nos hubiésemos preocupado en llevar a cada miembro de iglesia a buscar a sus amigos, parientes y vecinos. Pero infelizmente, el plan divino pasó a ser "un método más" en medio de tantos planes. No solo en nuestros días. A fin del siglo XIX, el espíritu de profecía ya afirmaba: "*Cada alma* que Cristo ha rescatado *está llamada a trabajar* en su nombre para la salvación de los perdidos. Esta obra había sido descuidada en Israel. ¿No es descuidada hoy día por los que profesan ser los seguidores de Cristo? (*Palabras de vida del gran Maestro*, p. 150).

Piensa en el verbo "descuidar". Descuidar en este caso no significa rechazar, sino considerar que un asunto tiene poca importancia, darlo por obvio, suponer que todo va bien, mientras al mismo tiempo andamos preocupados en descubrir otra manera "revolucionaria" de cumplir la misión. Algún método que demande poco tiempo, poco dinero y poco esfuerzo, y que multiplique el número de miembros con extrema rapidez.

Por eso es que este libro no trata de ningún método, sino de la preparación de un pueblo para la venida de Cristo, la edificación de una iglesia gloriosa, sin mancha, sin arruga, que comparta a Jesús en todo momento.

La misión no nos fue confiada para que evangelicemos el mundo con un pequeño grupo de voluntarios o un equipo de pastores e instructores bíblicos, mientras los miembros de iglesia permanecen como simples observadores. Si se hubiera tratado de evangelizar el mundo sin la participación de cada miembro, Dios lo hubiese hecho solo, con los ángeles, y hasta con los animales y las piedras.

"Dios podría haber alcanzado su objeto de salvar a los pecadores, sin nuestra ayuda; pero a fin de que podamos desarrollar un carácter como el de Cristo, debemos participar en su obra." (*El Deseado de todas las gentes,* p. 116).

El gran desafío que tenemos es llevar a la iglesia a que refleje el carácter de Jesucristo. Y, para esto, "la mayor ayuda que pueda darse a nuestro pueblo consiste en enseñarle a trabajar para Dios, y a confiar en él..." (*Joyas de los testimonios,* tomo 3, p. 82).

¿Qué tendrá que hacer Jesús para que yo, como pastor, despierte a esta realidad? Si, por algún motivo, descuido el encargo de Jesucristo y ocupo mi tiempo en cosas útiles pero que no tienen que ver directamente con la preparación de la iglesia para encontrarse con Jesús, ¿qué explicación tendré en el día final?

PARA REFLEXIONAR

1. **¿Evangelizar es crecer numéricamente?**

2. **¿Cuál es el mejor método para crecer? ¿Nos enseñó Jesús cómo llevar adelante la misión?**

3. **Hay métodos muy eficaces que usa el mundo para que una empresa crezca. ¿Podemos usarlos? ¿Por qué sí o por qué no?**

4. **¿Cómo hizo Andrés para evangelizar el mundo?**

5. **¿Tenemos a nuestro lado personas conocidas a quienes deseamos llevar a los pies de Jesús?**

Capítulo 6

AMISTAD CON PROPÓSITO

Joao Apolinario llevó a varias personas a Jesús mientras vivía. Su corona está reservada para el día de la resurrección. Joao descansa en la bendita esperanza de la venida de Jesús. En cierta ocasión participé de un almuerzo en su casa, junto a personas que él había conducido a los pies de Jesús. El grupo estaba formado por empresarios y gente de negocios, personas que típicamente son consideradas seculares e indiferentes a las cosas del evangelio. Sin embargo, esta gente tenía una linda experiencia con Jesús. Formaba parte de la iglesia gloriosa de Dios. Joao Apolinario había sido el instrumento de Dios para llevar a estas personas al conocimiento del evangelio. Joao había sido nada más que un cristiano.

"¿Qué es el cristianismo? —pregunta la sierva de Dios, y ella misma responde— Es el instrumento divino para la conversión de los pecadores. Jesús pedirá cuentas de cada persona que no se somete a su dirección, que no demuestra en su vida la influencia de la cruz del Calvario… Los que han experimentado el poder de la gracia de Cristo tienen una historia que contar" (*Cada día con Dios,* p. 107).

El problema es que muchos cristianos sinceros piensan que traer personas a Cristo significa solamente dar estudios bíblicos, tocar la puerta de desconocidos, o dirigir series de evangelismo. Como no se sienten capacitadas para esto, se desaniman, viven un permanente estado de culpabilidad, y no son felices. Este capítulo tiene como propósito mostrar que compartir a Cristo es una aventura fascinante, llena de emoción y experiencias inolvidables.

Si quieres llevar almas a Jesús, necesitas entender que la obra de la conversión es divina y no humana. Tú eres solo un instrumento al servicio de Dios. Es él quien toca los corazones, y el Espíritu el que convence de pecado. Por lo tanto, si deseas tener éxito, ora.

Escoge a la persona que deseas llevar a Jesús y empieza a orar por ella. Todos los días. No te canses de hacerlo. Sucederán dos cosas. Al mismo tiempo que el Espíritu va trabajando en el corazón de la persona, tú irás creciendo en tu experiencia espiritual. La oración te mantiene en comunión con Jesús.

Después, presta atención a los consejos divinos. Hay abundantes consejos en el espíritu de profecía que afirman que la misión de llevar personas a él es algo sencillo y sin complicaciones. Para empezar considere esta cita: "La comisión divina no necesita reforma. La manera que Cristo tiene de presentar la verdad no puede mejorarse… Preservad la sencillez de la piedad" (*El evangelismo*, p. 382).

Me impresionan las palabras sencillez y piedad. Nada de complicaciones ni sofisticaciones; la manera como Jesús se aproximaba a las personas era sencilla. Y tenía éxito. ¿En sus tiempos existían mentes secularizadas? Claro que sí. Llama a la incredulidad como quieras. Mentes cerradas al evangelio existieron siempre. Esto no es patrimonio de nuestros días. En sus tiempos, Jesús decía: "Por eso les hablo por parábolas: porque viendo no ven, y oyendo no oyen, ni entienden. De manera que se cumple en ellos la profecía de Isaías, que dijo: De oído oiréis, y no entenderéis; y viendo veréis, y no percibiréis. Porque el corazón de este pueblo se ha engrosado, y con los oídos oyen pesadamente, y han cerrado sus ojos; para que no vean con los ojos, y oigan con los oídos, y con el corazón entiendan, y se conviertan, y yo los sane" (Mat. 13:13-15).

¿No tenían esos hombres mentes y corazones endurecidos? Pero el Señor tuvo éxito en su misión evangelizadora. ¿Por qué? En primer lugar, porque él era el evangelio encarnado; y en segundo lugar, porque se aproximaba a las personas de tal modo que nadie podía resistir. ¿Cómo lo hacía? Veamos lo que dice el espíritu de profecía: "Solo el método de Cristo será el que dará éxito para llegar a la gente. El Salvador *trataba con los hombres como quien deseaba hacerles bien. Les mostraba simpatía, atendía sus necesidades y se ganaba su confianza.* Entonces les decía: 'Seguidme'" (*Ministerio de curación*, p. 102).

Analicemos los cinco pasos que Jesús seguía para incorporar las personas a su reino:

1. *Trataba con los hombres como quien quería hacerles bien.* El Señor no se aproximaba a las personas como quien quería conducirlas a su iglesia, sino que trataba con ellas

como quien quería hacerles bien. Cada vez que te acercas a un familiar, amigo, vecino o compañero de trabajo, esa persona ya sabe que eres creyente y que vas a tratar de convencerla. Por lo tanto, se pone en guardia, se prepara para contradecir tus argumentos o simplemente se aparta de ti y evita cualquier tipo de conversación.

Una afirmación común de nuestros días es: "Si deseas ser mi amigo, no me hables de religión ni de política". Las personas de nuestro tiempo piensan así. Si piensas que vivimos en un mundo secularizado, agnóstico e incrédulo, ¿cómo crees que las personas querrán conocer tus convicciones religiosas? ¡A nadie le interesa esto! Esta es la razón por la que no aceptan lo que tienes para decirles y evitan cualquier conversación contigo.

Jesús no trataba de convencerlos de nada. Él les hablaba de lo que a ellos les interesaba. Se relacionaba con las personas "como quien quería hacerles bien". A todo ser humano le gusta que se le haga bien. ¿A quién no le gusta que se le hable de lo que le interesa? ¿Y qué es lo que le interesa al ser humano moderno? Deportes, dinero, cultura, diversión; en fin, todo menos religión. Entonces, háblales de lo que les interesa, no les menciones a Jesús ni la Biblia, y mucho menos acerca de las convicciones doctrinales que tienes. Si lo haces, con toda seguridad fracasarás, no porque el terreno sea difícil, o porque la mente secular sea dura, sino porque tu aproximación es errada.

Jesús dijo que seríamos "pescadores de hombres". ¿Has pescado alguna vez? ¿Qué colocas de carnada en el anzuelo? ¿Chocolate, helado? Yo no dudo que a ti te gustan estas cosas, pero al pez no le interesan. Los peces comen lombrices, gusanos, y tú les colocas eso. Entonces, ¿por qué, cuando se trata de compartir a Cristo, no haces lo mismo? Creo que tú no comes gusanos, pero los colocas en el anzuelo para atraer a los peces.

Bueno, la próxima vez que desees llevar a alguien a Jesús, haz lo que tu Maestro hacía: no le hables de religión, háblale de lo que le interesa. Por ejemplo, si tu vecino es un apasionado por el fútbol, háblale de fútbol. Sabiendo que eres creyente, cada vez que te aproximas, él ya se prepara para contradecirte, pensando que le vas a hablar de religión, pero si le hablas de lo que a él le interesa, lo desarmas.

Si deseas llevar a una persona a Jesús, lo primero que necesitas es hacerte amigo de esa persona. Recuerda que el testimonio de un conocido es más eficaz que el testimonio de una persona extraña. Por lo tanto, acércate a la persona, habla con ella de las cosas que le interesan, descubre lo que le gusta, familiarízate con ese tema y conversa de eso. No te apures en invitarla a la iglesia ni en darle estudios bíblicos. A esta persona no le interesa nada de esto. Toma tiempo solo para hacerte amigo de ella. Participa de sus actividades, acepta una invitación suya. Mira lo que Jesús hacía.

"Cuando era invitado a una fiesta, Cristo *aceptaba la invitación para poder sembrar* la simiente de la verdad en el corazón de los presentes mientras estuviera sentado a la mesa" (*El evangelismo*, p. 47).

Otra cita más: "Jesús veía en toda alma un ser que debía ser llamado a su reino. Alcanzaba el corazón de la gente yendo entre ella como quien desea su bien. La buscaba en las calles, en las casas privadas, en los barcos, en la sinagoga, a orillas del lago, en la fiesta de bodas. Se encontraba con ella en sus vocaciones diarias y manifestaba interés en sus *asuntos seculares*. Llevaba sus instrucciones hasta la familia, poniéndola, en el hogar, bajo la influencia de su presencia divina. Su intensa simpatía personal le ayudaba a ganar los corazones" (*El Deseado de todas las gentes*, pp. 125, 126).

2. *Les mostraba simpatía*. Este es el segundo paso. Mira lo que dice Elena G. de White: "Hermanos y hermanas, visitad a quienes viven a vuestro alrededor, y tratad de encontrar acceso a sus corazones mediante la simpatía y la bondad. Trabajad en forma que elimine el prejuicio en lugar de crearlo. Recordad que los que conocen la verdad para este tiempo, y que sin embargo confinan sus esfuerzos a su propia iglesia, y rehúsan trabajar por sus vecinos no convertidos, serán llamados a rendir cuentas por incumplimiento del deber" (*Testimonios para la iglesia*, t. 9, p. 28).

Observa el consejo divino: *(a) Visita a los que viven cerca de ti. (b) Trata de alcanzar sus corazones con simpatía y bondad. (c) Quita el prejuicio en lugar de crearlo.*

Son tres pasos fundamentales. Derriba los preconceptos, no los generes. En lugar de esto, muéstrales simpatía y bondad. Nadie resiste a la atracción de la simpatía. El otro día oí a alguien que dijo: "No sé por qué me gusta estar cerca de ese muchacho, me resulta tan simpático". Ese es el asunto: la simpatía atrae. Si tú quieres que alguien escuche de tu fe en Jesús, primero tienes que lograr que él te escuche, y las personas solo escuchan a los que les son simpáticos. ¿Cómo ser simpático? Háblales de lo que les interesa y sé bueno y cortés con ellos. Por ejemplo, apréndete el nombre y el día del cumpleaños de cada miembro de la familia que vive cerca de ti. El día del cumpleaños de su hijito, tócale la puerta y llévale un paquetito de galletas. No cuesta nada y vale mucho. Dile: "Vecino, hoy es el cumpleaños de Luisito y pasé solo para darle un abrazo". ¿Cómo crees que se va a sentir? Tú no fuiste a hablarle del sábado, ni de la carne de cerdo, ni del juicio investigador. Eso levantaría prejuicios. Tú solo fuiste a mostrarle simpatía y cariño. Nada más. Y sin embargo, estás cultivando el terreno para llevar a tu vecino a Cristo.

3. *Atendía sus necesidades.* Este tercer paso es importantísimo. Los seres humanos son movidos por la necesidad. Cuando un publicista quiere vender algo, apela a la necesidad. El corazón de la publicidad es la necesidad de las personas. Y mira lo que la sierva del Señor decía en el siglo XIX: "En casi todas las comunidades hay grandes números de personas *que no están dispuestas a escuchar las enseñanzas de la Palabra de Dios ni asistir a los servicios religiosos.* Para alcanzar a estas personas con el evangelio, hay que llevarlo a sus hogares. Con frecuencia *el alivio de sus necesidades* físicas *constituye el único camino* por el cual es posible aproximarse a ellos" (*Consejos sobre la salud,* p. 385).

Pero las personas no tienen solo necesidades físicas. Entonces, además de atender las necesidades físicas de las personas, debemos estar atentos a sus necesidades emocionales. El mundo está lleno de gente triste, que vive dramas horribles en su casa, con el cónyuge, con los hijos, etc. Gente desesperada, que no puede dormir, personas que no saben qué hacer ni adónde ir. Ellas ignoran que la solución es Cristo; por lo tanto, aproxímate dispuesto a oírlas y a extenderles una mano amiga. Simplemente escúchalas. Hay personas que pagan mucho dinero a los psicoanalistas solo para ser oídas. Óyelas, interésate en sus dificultades. Que tus amigos sepan que pueden contar contigo.

4. *Se ganaba su confianza*. La palabra clave es "confianza". Tú no confías en alguien que no conoces. La mayoría de las veces fracasamos en nuestra intención de llevar almas a Jesús porque no nos ganamos la confianza de ellas antes de presentarles la invitación, "sígueme". Cuando has ganado la confianza de una persona, no existe corazón duro. Nadie resiste al amor reflejado en la vida de un hijo sincero de Dios.

"Con la simpatía de Cristo hemos de tratar de despertar su interés [de las personas incrédulas] en los grandes asuntos de la vida eterna. Quizá su corazón parezca tan duro como el camino transitado, y tal vez sea aparentemente un esfuerzo inútil presentarles al Salvador; pero aun cuando la lógica pueda no conmover, y los argumentos puedan resultar inútiles para convencer, el amor de Cristo, revelado en el ministerio personal, puede ablandar un corazón pétreo, de manera que la semilla de la verdad pueda arraigarse. (*Palabras de vida del gran Maestro*, p. 37).

Solo que, para que esto sea una realidad, hay que invertir tiempo en cultivar una amistad sincera con esa persona, al punto de ganar su confianza.

5. *Les decía: sígueme.* ¿Cómo hacer esta invitación? En este punto volvemos a la oración. ¿Te acuerdas que estabas orando todos los días por la persona que habías decidido

llevar a Jesús? Bueno, los días y las semanas pasan; a veces, pueden pasar los meses y hasta los años. No te desanimes. Dios tiene su tiempo. Aunque te dé la impresión que no sucede nada, Dios está obrando. Tú continúa orando y cultivando la amistad con esa persona. Un día, en medio de una conversación informal, le dices:

—Ricardo, hay algo que quiero decirte hace algún tiempo.

—¿Qué es? —responderá él.

—Hace varias semanas estoy orando por ti todos los días. Para que Dios te proteja y te bendiga, no solo a ti sino a todas las personas que amas.

—¿Y por qué lo haces?

—Porque eres un gran vecino y quisiera que continúes siendo mi vecino en el reino de los cielos.

¿Cómo crees que esa persona se va a sentir cuando tú le digas esto? Vivimos en tiempos cuando nadie se interesa por nadie. Y de repente, alguien le dice a Ricardo que está orando por él. La mayoría de las personas que han puesto en práctica esto, han relatado que el amigo se emociona y que aparecen las lágrimas. Fueron tocados en lo profundo de su ser.

Ahora que lo ves tocado, continúas adelante.

—Pero, Ricardo, hay otra cosa que debo decirte.

—¿Y ahora qué? —responderá él.

—Tú no sabes, pero yo llevé tu nombre a mi iglesia para que todos los miércoles de noche oren por ti. Oran sin que te conozcan.

—¿Qué…?

—Esto que escuchas. Mi iglesia ora por tu esposa, por

tus hijos y por las cosas que forman parte de tus sueños.

¡Nadie resiste a una situación como esta! Cualquier persona, por más incrédula que sea, se siente emocionada. Tú no le estás hablando de religión. Tú simplemente entretejiste una amistad con él hablándole de las cosas que le interesaban, lo ayudaste en sus necesidades, le mostraste simpatía, te ganaste su confianza, y ahora le dices que lo amas tanto que estás orando por él.

Al verlo impresionado, le preguntas:

—¿No te gustaría ir este miércoles a la iglesia para ver cómo oran por ti?

¿Qué crees que él va a hacer? Hasta por compromiso te va a aceptar. Es lo que hicieron casi todos los amigos de los miembros de iglesia que siguieron estos pasos.

En seguida, entras en contacto con la comisión de recepción de la iglesia. Toda iglesia debe tener una comisión de recepción bien organizada y eficiente. Los recepcionistas son el rostro de la iglesia. Ellos deben destilar amor por los ojos, deben tener una sonrisa agradable y cautivante, y tener el criterio suficiente para no ser insistentes ni desatentos.

Esa misma noche llamas a la directora de las recepcionistas y le dices: "Julia, mira, el miércoles voy a llevar a la iglesia a mi amigo Ricardo. Es la primera vez que él irá, así que denle una bienvenida especial".

El miércoles pasas por la casa de Ricardo y lo acompañas a la iglesia. Si tú le haces la invitación y esperas que él vaya solo, estás engañado. No lo hará. Aquí entra tu participación. No sabes dar estudios bíblicos ni tocar la puerta de extraños ni realizar una campaña evangelizadora, pero puedes acompañar paso a paso a la persona que escogiste, desde que comienzas a orar por ella, te aproximas con amor y simpatía, y la conduces con tacto a la iglesia.

A medida que el tiempo pase, verás que el interés por las cosas espirituales brotará de manera natural en el corazón de tu amigo. Cuando él empiece a hacerte preguntas, llegó el momento de prestarle algún libro cristiano. Un libro o una revista tienen un efecto extremadamente positivo. Las publicaciones han abierto puertas que parecían de acero. Pueden parecer olvidadas en algún rincón, pero el tiempo mostrará sus efectos.

Nadie resiste a la atracción del amor. El amor genera amor. El método de Cristo jamás falla. Si sigues el ejemplo de Jesús, con toda seguridad tendrás el mismo éxito que él, a pesar de que encuentres corazones duros y mentes secularizadas. La afirmación profética es: "Solo el método de Cristo será el que dará éxito para llegar a la gente" (*Ministerio de curacion*, p. 102). Naturalmente, esta declaración no excluye otras actividades evangelizadoras de la iglesia, sino que enfatiza la importancia de hacer lo que Jesús hacía.

Volvamos a Joao Apolinario. Era rico y vivía en un área privilegiada de San Pablo, Brasil, en un edificio de departamentos valorados en casi dos millones de dólares. Todo el edificio era habitado por gente financieramente próspera. En cierta ocasión, doña Arlete, la esposa de Joao, entró al ascensor y vio a una señora, llorosa y triste. Era la esposa de otro millonario que vivía en el mismo edificio. Eran amigas. Hacía mucho tiempo que los Apolinario estaban orando por esa familia. No hablaban de religión, simplemente cultivaban la amistad, y en cierta ocasión hasta los habían invitado a cenar en un muy buen restaurante de la ciudad.

Aquel día, en el ascensor, al ver a la amiga triste, Arlete pensó que había llegado el momento de atender una necesidad emocional de la amiga. La invitó a su casa. Le dijo que le haría mucho bien participar de una reunión de amigos donde cada uno hablaba de sus dificultades, y todos juntos buscaban la ayuda de Dios. ¿Qué crees que hizo la amiga? Ella tenía problemas serios en su matrimonio y no sabía qué hacer. Amaba a su esposo y no deseaba que el matrimonio se destruyera. ¿También enfrentan momentos críticos las personas con mente secular? ¿Los incrédulos y agnósticos también tienen hijos en las drogas y sufren de insomnio por causa de sus problemas existenciales?

Aquella noche la amiga de los Apolinario entendió que necesitaba a Dios en su vida. La semana siguiente llevó a su esposo a la reunión; y hoy ambos se alegran en las buenas nuevas del evangelio.

Pero la historia no termina allí. El día que almorcé en la casa de los Apolinario, había por lo menos seis familias presentes; una había llevado a la otra; una fue compartiendo a Jesús con la otra; y ahora todos formaban parte de la iglesia gloriosa de Dios.

¿Cómo se convirtieron estas familias ricas y sofisticadas? Simplemente siguiendo la dinámica de la testificación enseñada por Jesús.

"Solo el método de Cristo será el que dará éxito para llegar a la gente".

PARA REFLEXIONAR
1. ¿Es la amistad una herramienta útil en la predicación del evangelio?

2. Reflexiona en los cinco pasos de Jesús para llevar personas a su reino.

3. ¿Cómo podría organizarse tu iglesia para que las amistades de los hermanos se unan a la comunidad de los creyentes?

4. ¿Cómo puedo sacar una decisión por Cristo de parte de un amigo?

5. ¿Tienes un amigo al que quieras llevar a Jesús?

Capítulo 7

¿POR QUÉ DEBES LLEVAR ALMAS A LOS PIES DE CRISTO?

Mi héroe en el evangelismo, después de Jesús, es el apóstol Pablo. He estudiado sus métodos una y otra vez. He analizado cómo se aproximaba a las personas y cómo construía su sermón para llegar al corazón de los que lo oían. Pablo fue un soñador y estableció muchas iglesias. Su sueño era el sueño de Dios: preparar una iglesia gloriosa para el encuentro con Jesús.

Finalmente, Pablo murió, preso, pero predicando el evangelio a través de sus libros. Lo admiro y siempre le estaré agradecido por lo que me ha enseñado. La sierva del Señor habla de cómo Pablo trataba de construir la iglesia gloriosa, santa y sin mancha: "El apóstol Pablo sentía que era responsable en gran medida del bienestar espiritual de aquellos que se convertían por sus labores. Deseaba que crecieran en el conocimiento del único Dios verdadero y de Jesucristo, a quien había enviado. A menudo en su ministerio se encontraba con pequeños grupos de hombres y mujeres que amaban a Jesús, y se postraba en oración con ellos para pedir a Dios que les enseñara cómo mantener una relación vital con él. A menudo se reunía en consejo con ellos para estudiar los mejores métodos de dar a otros la luz de la verdad evangélica. Y a menudo, cuando estaba separado de aquellos con quienes había trabajado así, suplicaba a Dios que los guardara del mal, y les ayudara a ser misioneros fervientes y activos" (*Los hechos de los apóstoles*, pp. 212, 213).

Observa las preocupaciones de Pablo con relación a los nuevos cristianos:

- "Pablo sentía que era responsable en gran medida del bienestar espiritual de los que se convertían por su labor".
- "Deseaba que crecieran en el conocimiento del único Dios verdadero".

Estas dos preocupaciones tenían que ver con la preparación de la iglesia gloriosa de Jesús, y lo llevaban a postrarse en oración con ellos para pedir a Dios que les enseñara cómo mantener una relación vital con él.

¿Y cómo se mantenía esa relación vital?

- "Se reunía en consejo con ellos para estudiar los mejores métodos de dar a otros la luz de la verdad".
- "Cuando estaba separado de aquellos con quienes había trabajado así, suplicaba a Dios que los guardara del mal y les ayudara a ser misioneros fervientes y activos".

Pablo sabía que un cristiano que no ora, no estudia la Biblia y no comparte a Jesús, no crece, y camina peligrosamente hacia la autodestrucción.

El espíritu de profecía también menciona el hecho de compartir a Jesús como el secreto de una vida cristiana victoriosa y feliz. Veamos las razones por las cuales todo cristiano debe comprometerse con la misión.

1. *Un cristiano que no comparte a Jesús no está convertido.*
Esta afirmación puede parecer muy radical, pero es la conclusión que sacamos de los escritos de la sierva del Señor. "El primer impulso del corazón regenerado es el de traer a otros también al Salvador" (*El gran conflicto,* p. 76).

Por lo tanto, si una persona dice que ha sido cambiada por Jesús y no lo comparte, algo está fallando. Algo anda mal. Es necesario que revise su experiencia cristiana. Porque "una persona verdaderamente convertida no puede vivir una vida inútil y estéril" *(Palabras de vida del Gran Maestro*, p. 223).

Nota la expresión "verdaderamente convertida". No es posible relacionar la verdadera conversión con inactividad o improductividad. La verdadera conversión genera en el corazón del cristiano el deseo de buscar a otra persona para conducirla a los pies de Jesús.

Esta no es una actividad colectiva de la iglesia. Yo no me puedo esconder bajo el pretexto de que mi iglesia está evangelizando, aunque yo no participo mucho. Este es un asunto personal.

"Si los miembros de la iglesia no emprenden *individualmente* esta obra, demuestran que *no tienen relación viva con Dios*" (*Joyas de los testimonios,* t. 2, p. 163).

¿Y qué sucede con alguien que no tiene una experiencia viva con Dios? La respuesta es obvia. Está muerto espiritualmente. Puede ser un buen miembro de iglesia, cumplir todas las normas, ejercer un cargo, participar en las actividades de la iglesia, cantar en el coro, lo que sea, pero si no comparte a Jesús, no tiene una comunión viva con él. Esto asusta, porque "cada verdadero discípulo, *nace en el reino de Dios como misionero" (El Deseado de todas las gentes*, p. 166). Si alguien no está comprometido con la misión, puede parecer que es un discípulo, pero no lo es. Todavía no ha nacido en el reino de Dios. Es solo un buen miembro de iglesia, pero jamás pasó por la experiencia de la conversión.

2. *Un cristiano que no comparte a Jesús jamás reflejará el carácter de Jesucristo.*

Lo peor que el pecado hizo en la vida de los seres humanos fue desfigurar el carácter de Dios. Hoy somos un remedo de ese carácter, una imitación grotesca. Nos hemos vuelto malos y egoístas, buscamos naturalmente lo que nos hace daño. Hemos aprendido a fingir y a disfrazar. Vivimos de apariencias. Tenemos un lado frío y otro caliente. Caliente por fuera y frío por dentro. Somos "tortas no volteadas" (Ose. 7:8), cocidas de un lado y crudas del otro. Jesús llamó a estas personas "sepulcros blanqueados" (Mat. 23:27). Bonitos por fuera. Mármol blanco y flores. Por dentro, huesos y carne descompuesta. Es duro, pero es la realidad de una persona sin Cristo. Y Jesús vino para reproducir su carácter en nuestra vida, para restaurar lo que estaba deteriorado, para llevarnos de nuevo a la semejanza con el Padre. Y para eso, nos dejó la misión.

"Dios podría haber alcanzado su objeto de salvar a los pecadores, sin nuestra ayuda; *pero a fin de que podamos desarrollar un carácter como el de Cristo*, debemos participar en su obra" (*El Deseado de todas las gentes*, p. 116).

Esta declaración es clara. Dios nos confió la misión de compartir a Jesús por un solo motivo: Para que podamos desarrollar un carácter como el de Cristo. Sin participar de la misión es imposible alcanzar este ideal.

3. *Un cristiano que no comparte a Jesús no crece en la vida espiritual.*

No existe experiencia cristiana saludable sin crecimiento. De todas las etapas de la vida, el nacimiento es la más fácil. ¿Qué necesitas hacer para nacer en Cristo? Solo creer. Pudiste haber estado en el fondo del abismo, pero si desde allí clamas al Señor por misericordia, Jesús te extiende la mano y te recibe. En ese momento naces en la vida cristiana. Es todo.

El drama es que para ser salvo no basta con nacer, es necesario permanecer salvo y crecer. Mira lo que dice Juan: "Amados, ahora somos hijos de Dios, y aún no se ha manifestado lo que hemos de ser; pero sabemos que cuando él se manifieste, seremos semejantes a él, porque le veremos tal como él es" (1 Juan 3:2). "Todavía no se ha manifestado lo que hemos de ser", aclara Juan. En esta expresión está implícita la idea del crecimiento. No basta nacer como hijos en el reino de Dios. La vida es crecimiento. El día que paras de crecer, mueres. El ideal máximo es la semejanza con el Creador. "Sabemos que cuando él se manifieste, seremos semejantes a él porque le veremos tal como él es". Y el consejo inspirado es: "La única forma de *crecer en la gracia* es estar realizando con todo interés precisamente la obra que Cristo nos ha pedido que hagamos" (*Servicio cristiano*, p. 127).

¿Te das cuenta? Hay cosas que a veces pasan inadvertidas, pero si un cristiano no está comprometido con la tarea de llevar almas a Jesús, no puede crecer. Esta expresión, "la única forma de crecer en la gracia", denota énfasis. Es clave. Llevar a otros a Jesús no es una tarea que yo pueda hacer si me sobra tiempo. O la hago, o muero. Es imperativo. O la hago, o permanezco como un enano espiritual.

"Muchos, se están aproximando al día de Dios sin hacer nada, eximiéndose de las responsabilidades, y como resultado son *enanos religiosos*" (*Review and Herald*, 22 de mayo de 1888).

4. *Un cristiano que no comparte a Jesús es un cristiano débil.*
Todo padre desea ver a sus hijos fuertes y saludables. Dios también es un Padre de amor y desea que sus hijos sean felices y crezcan llenos de fortaleza y vigor. Para eso, él estableció un instrumento de fortalecimiento: "Debe hacerse obra bien organizada en la iglesia, para que sus miembros sepan cómo impartir la luz a otros, y así *fortalecer su propia fe* y aumentar su conocimiento. Mientras impartan aquello que recibieron de Dios, serán confirmados en la fe. Una iglesia que trabaja es una iglesia viva" (*Joyas de los testimonios*, t. 3, p. 68).

Percibe la progresión de estos pensamientos. Cuando un cristiano imparte la luz a otros, aumenta su conocimiento y fortalece su fe. ¿Por qué? Porque "mientras *impartan* aquello que recibieron de Dios, serán *confirmados* en la fe". Observa las ventajas de llevar a una persona a los pies de Cristo. Aumentas tu conocimiento. A medida que repites las verdades a otros, esas verdades se afirman en ti, y las preguntas de la persona con la que estudias te llevan a investigar y a estudiar más. Pero los beneficios no terminan allí, sino que tu fe se fortalece y te afirmas en la verdad.

¿Qué pasa si no compartes tu fe?

"Hay peligro para los que hacen poco o nada para Cristo. *La gracia de Dios no permanecerá* largo tiempo en el alma de aquel que, teniendo grandes privilegios y oportunidades, permanece en silencio" (*Servicio cristiano*, p. 113).

¿Te das cuenta por qué existen personas que empiezan la carrera cristiana con un entusiasmo extraordinario, y en poco tiempo vuelven a su vida pasada y dan la impresión de que nada sucedió con ellas? Esas personas permanecieron en silencio. Y la gracia de Jesús no permanecerá largo tiempo en la vida de alguien que no comparte su fe con otros. Solo "aquellos que, con amor hacia Dios y sus semejantes, luchan por ayudar a otros, son los que se afirman, fortalecen y establecen en la verdad" (*Obreros evangélicos,* 1971, p. 88).

5. *Una persona que no comparte a Jesús es un candidato a la apostasía y a la disidencia.*

Es triste ver a un cristiano morir en los primeros años de su experiencia espiritual. Igualmente triste es ver que un hermano que durante años permaneció en la iglesia sea llevado como hoja seca por movimientos disidentes. Este asunto de la apostasía es algo que perturba mucho a los líderes de la iglesia. En mis cuarenta años de ministerio he visto y he participado en decenas de comisiones que se reunieron a fin de buscar el remedio para la apostasía. En muchas de esas reuniones he escuchado discursos inflamados que argumentaban que los nuevos cristianos abandonan la iglesia por falta de preparación. La realidad, sin embargo, es otra. En 1998, realizamos un estudio en los países de la División Sudamericana. Visitamos a 328 personas que habían abandonado las filas de la iglesia, en 63 lugares diferentes, y les hicimos una pregunta: "¿Cuál es la razón por la que abandonaste la iglesia?" El resultado fue sorprendente:

◆ Porque no estaban de acuerdo con la doctrina . . . 1,3%

◆ Porque se fueron con movimientos disidentes. . . 3,9%

◆ Porque no pudieron vivir según los principios . . 18,8%

◆ Por falta de compañerismo. 76,0%

Puedes observar que la causa no es la falta de conocimiento bíblico. El conocimiento es bueno, pero no es lo que conserva fiel a un cristiano. El problema básico es la falta de compañerismo en la iglesia. Nuevos cristianos se añaden a la iglesia, pero no son incluidos en los pequeños "círculos" de amistad que existen en la comunidad. Dejaron sus amistades antiguas y no lograron hacer nuevas amistades dentro de la iglesia, y en poco tiempo se desaniman y se van. ¿Pero qué tiene que ver esto con el hecho de compartir a Cristo para conducir a otros a sus pies? Mucho. Observa lo que afirma el espíritu de profecía.

"Los cristianos que están creciendo constantemente en fervor, en celo y en amor, *nunca apostatarán*... Son aquellos que no se hallan ocupados en una labor abnegada los que tienen una experiencia enfermiza, y llegan a agotarse por la lucha, dudando, murmurando, pecando y arrepintiéndose, hasta que pierden todo sentido de lo que constituye la genuina religión" (*Servicio cristiano*, pp. 135, 136).

Aquí, la sierva de Dios presenta la obra de compartir a Cristo como el secreto para no abandonar las filas del ejército del Señor. Todo aquel que se empeña en compartir su fe no apostata nunca, dice ella. Pero hay más, ella dice que los cristianos que viven una vida inactiva y no se comprometen a conducir a otras personas a Jesús, no solamente se desaniman, sino que muchas veces "sienten que no pueden regresar al mundo, y así se mantienen en los contornos de Sión, albergando pequeños celos, envidias, chascos y remordimientos. Están llenos de un espíritu que busca faltas, y se alimentan de los errores de sus hermanos" (*Servicio cristiano*, p. 136).

¿Te parece conocida esta experiencia? ¿Conoces a alguien que vive criticando a la iglesia y a sus líderes? Pregúntale cuántas personas llevó a Cristo en el último año, y tendrás la explicación de porqué se conduce de la manera en que lo hace.

Con frecuencia encontramos personas sinceras que viven preocupadas por tener un comportamiento ejemplar. No hay nada malo en eso. El problema es que si todo el afán de la vida cristiana se concentra en eso, y se olvida que la testificación es clave en la vida del cristiano, se corre un terrible peligro.

"Hay muchos que profesan el nombre de Cristo cuyos corazones *no se empeñan en su servicio*. Sencillamente hacen profesión de piedad, pero por este mismo hecho han ampliado su condenación y *han llegado a ser agentes satánicos más engañosos* y que alcanzan más éxito en la ruina de las almas" (*Servicio cristiano*, p. 121).

Cuando un cristiano vive preocupado solamente en hacer profesión de "piedad", pero no se empeña en llevar a otros a Cristo, corre el riesgo de transformarse en un agente poderoso de Satanás para la ruina de las almas. ¡Esto es estremecedor!

6. *Un cristiano que no comparte a Jesús no participará del reavivamiento prometido.*

Dios tiene un sueño glorioso para su iglesia. Quiere que sea viva, saludable y santa, para encontrarse con su Redentor. Y para esto ha recibido el instrumento de la testificación, entre otros.

"La iglesia debe ser una iglesia activa si quiere ser una iglesia viva. No debe contentarse meramente con mantener sus posiciones contra las fuerzas opositoras del pecado y el error, ni debe estar contenta de avanzar a paso lento, sino que debe llevar el yugo de Cristo, y mantenerse al paso de su líder, ganando nuevos reclutas a lo largo del camino" (*Servicio cristiano*, p. 106).

El reavivamiento no es solo conducir a la iglesia a que viva con un elevado modelo de conducta. Existe mucha gente sincera preocupada en que el "mundo" no entre en la iglesia. Pero la iglesia "no debe contentarse meramente *con mantener sus posiciones contra las fuerzas opositoras* del pecado y el error". Sino "que debe mantenerse al paso de su líder, ganando nuevos reclutas a lo largo del camino". Esto es básico si se busca un reavivamiento auténtico. Porque "nada fortalecerá tanto vuestra piedad como *trabajar* para hacer progresar la causa que profesáis amar, en lugar de trabarla" (*Servicio cristiano*, p. 124).

7. *Un cristiano que no comparte a Jesús no se está preparando para la venida del Rey de reyes.*

¿Cuál es la manera correcta de prepararse para la venida de Jesús? ¿Vivir preocupado con la fecha del decreto dominical o con el inicio de la persecución? ¿Mudarse al campo y empezar a orar y estudiar la Biblia como jamás lo hicimos? Lee el consejo inspirado: "En este tiempo, nuestra fe no debe limitarse a un simple asentimiento, a una simple adhesión al mensaje del tercer ángel. *Necesitamos* el aceite de la gracia de Cristo para alimentar nuestras lámparas, hacer brillar la luz de la vida e *indicar el camino a los que están en tinieblas*" (*Joyas de los testimonios*, t. 3, p. 356).

La oración y el estudio diario de la Palabra de Dios son indispensables, pero necesitan ser acompañados con el trabajo de indicar el camino a los que están en tinieblas". De otro modo la vida devocional se vuelve vacía y no tiene sentido.

"Estamos en el tiempo de espera. Pero, este período no ha de usarse en una devoción abstracta. El esperar, velar, y ejercer un trabajo vigilante han de combinarse" (*Servicio cristiano*, p. 107, 108).

Devoción abstracta es una devoción limitada al estudio de la Biblia y a la oración. Necesitamos incluir en la vida devocional la testificación, que no es otra cosa que buscar a otra persona y llevarla a Cristo.

8. *Un cristiano que no comparte a Jesús reclamará siempre atención y cuidado.*

Existen muchos cristianos insatisfechos y llenos de pesares, y el espíritu de profecía presenta el remedio: "Tal es la receta que Cristo prescribió para el alma que desmaya, duda y tiembla. Levántense los pesarosos, los que andan tristes delante del Señor, y socorran a alguien que necesite auxilio" (*Joyas de los testimonios*, t. 2, p. 504).

Una vida sin misión es una vida llena de dudas. ¿Te acuerdas qué hizo Jesús al encontrar a sus discípulos llenos de dudas?

"Hay solamente una cura verdadera para la pereza espiritual, y ésta es el trabajo: el trabajar por las almas que necesitan vuestra ayuda" (*El servicio cristiano*, p. 135).

Se cuenta acerca de un hombre que se estaba muriendo en la nieve. Ya no tenía fuerzas, y estaba a punto de entregarse, cuando de pronto encontró a alguien caído en el suelo, en peores condiciones que él. Movido por el espíritu de compasión, decidió cargarlo a pesar de que estaba sin fuerzas, pero a medida que avanzaba, sintió que entraba en calor y empezaba a transpirar. Finalmente llegaron a un refugio, y entonces percibió que habiendo salvado a otro, él mismo se había salvado. Esto sucede en la ganancia de almas.

Conocí a Andrés en una de las ciudades más violentas del mundo. Tenía fama de malo. Había pasado varios años en la prisión pagando sus crímenes. Se encontró con el Señor Jesucristo en la cárcel. Una noche helada de invierno, Andrés agonizaba. Temblaba de frío, casi congelado, esperando la muerte. Fue en esas condiciones que me oyó a través de la radio de un compañero de celda. Aquella noche, el Espíritu de Dios tocó su corazón. Había oído muchas veces hablar de Jesús, pero creía que la religión era cosa de personas débiles. Él siempre se había considerado valiente. Armado hasta los dientes, había hecho sufrir a mucha gente. Era malo y cruel. Había escogido el camino del crimen cuando era apenas un adolescente, y culpaba a la sociedad por no haberle dado otro camino de elección.

Aquella noche se estaba muriendo, y la muerte lo asustó. En la casi penumbra de su agonía entendió que Dios lo amaba y quería darle un nuevo corazón. Suplicó. Clamó a Jesús por una segunda oportunidad y se adormeció.

A la mañana siguiente vio entrar el sol por la ventana. Se encontraba en la enfermería de la prisión. Los rayos del sol eran insistentes a pesar de la fuerte neblina. "Yo estaba vivo —me dijo, sin poder esconder la emoción—; no había muerto. Dios me estaba dando una segunda oportunidad".

Ya pasaron treinta años desde aquella noche fría en la celda helada de una prisión. Andrés es hoy un testimonio vivo del poder transformador de Cristo. Está libre y realiza un trabajo extraordinario junto a una organización que recupera a niños delincuentes. La última vez que me encontré con él, me presentó a un grupo enorme de personas que había conducido a los pies del Salvador. "¿Cómo podría guardar silencio después de todo lo que el Señor Jesús hizo por mí?", me respondió sonriendo cuando le pregunté por qué no se cansaba de compartir a Jesús.

Mientras él se alejaba en dirección del auditorio, me quedé observándolo en silencio. Había descubierto el secreto del crecimiento en Cristo. Él forma parte de la iglesia gloriosa que Jesús viene a buscar.

PARA REFLEXIONAR

1. ¿Me angustia la idea de llevar almas a los pies de Jesús? ¿Soy tímido y no sé cómo? ¿Qué puedo hacer?

2. ¿Cuáles son las razones por las que debo llevar almas a Jesús?

3. Si no es el miedo ni el sentido del deber, ¿qué otra fuerza debe dirigir mi anhelo de ver a otros en el reino de Cristo?

4. ¿Cómo se está definiendo mi destino eterno en relación con la misión?

5. ¿Qué relación tiene el amor de Dios con mi salvación y la de los otros?

Capítulo 8

¿PARA QUÉ EXISTE LA IGLESIA?

Apocalipsis es un libro de visiones. Allí encontramos, entre otras, la visión de Dios acerca del futuro de la predicación del evangelio. El Señor quiso compartir esa visión con Juan, y se la reveló. "Después de esto vi a otro ángel descender del cielo con gran poder; y la tierra fue alumbrada con su gloria" (Apoc. 18:1).

¡Qué escena maravillosa! La tierra alumbrada con su gloria. Hombres y mujeres, llenos del poder del Espíritu Santo, transformados por el amor de Jesucristo, iluminando el mundo con la gloria de Dios. El carácter de Jesús reflejado en la vida de los creyentes. Ellos son la luz del mundo. Las tinieblas tiemblan delante de su fulgor. Por donde los cristianos pasan, va la gloria del Señor, y la luz alumbra cada rincón de la tierra.

Esto sucede poco antes de la venida de Cristo: "La esencia del mensaje del segundo ángel vuelve a darse al mundo por medio del otro ángel que ilumina la tierra con su gloria. Estos mensajes se mezclan en uno solo, para ser presentados a la gente *en los días finales de la historia terrenal*" (*Mensajes selectos*, t. 2, p. 134).

Para vivir esta experiencia, la iglesia ha pasado por un proceso de crecimiento; y para ayudarla a alcanzar este ideal, Dios le ha confiado la misión. La iglesia necesita entender que el propósito de Dios es que refleje su carácter delante del mundo, y que la misión es solo un instrumento para lograr ese propósito.

"Debe hacerse obra bien organizada en la iglesia, para que sus miembros sepan cómo impartir la luz a otros, y así fortalecer su propia fe y aumentar su conocimiento. Mientras impartan aquello que recibieron de Dios, serán confirmados en la fe. Una iglesia que trabaja es una iglesia viva. Somos incluidos en la edificación como piedras vivas, y cada piedra ha de emitir luz. Cada cristiano es comparado a una piedra preciosa que capta la gloria de Dios y la refleja (*Joyas de los testimonios*, t. 3, p. 68).

Observa la importancia de la misión en la vida de la iglesia:

• "Una iglesia que trabaja es una iglesia viva". La vida de la iglesia está relacionada directamente con su trabajo.

• Cuando los miembros imparten luz a otros, "fortalecen su fe y aumentan su conocimiento".

• Mientras imparten lo que recibieron, serán "confirmados en la fe".

• "Cada cristiano es comparado a una piedra preciosa que capta la gloria de Dios y la refleja".

Nuevamente encontramos el principio del círculo. Esto

funciona como el manantial de agua pura: cuanto más entrega, más recibe. La medida que recibe es la medida que comparte. Predicar el evangelio es la fuerza motora de su existencia.

Por este motivo el Señor le mostró a Juan el surgimiento del remanente, simbolizado con tres ángeles: "Vi volar por en medio del cielo a otro ángel, que tenía el evangelio eterno para predicarlo a los moradores de la tierra, a toda nación, tribu, lengua y pueblo" (Apoc. 14:6).

La preposición *para* expresa el propósito de la iglesia de Dios en esta tierra. Dios tiene un propósito para ella; y a su vez, ella tiene un propósito de existencia en sí misma. El cumplimiento de su propósito la ayudará a alcanzar el ideal de Dios. ¿Cuál es ese propósito? La preposición *para* presenta la respuesta: "Para predicar el evangelio eterno".

"La iglesia de Cristo en la tierra fue organizada *para* fines misioneros, y el Señor desea ver a toda la iglesia idear medios y recursos por los cuales encumbrados y humildes, los ricos y los pobres, puedan oír el mensaje de verdad" (*Testimonios selectos*, t. 4, p. 286).

La fuerza de la iglesia debe estar orientada para este fin. Su trabajo es indispensable para reflejar el carácter de Dios y así conformar la comunidad gloriosa que Jesús viene a buscar.

"La iglesia es el medio señalado por Dios *para* la salvación de los hombres. Fue organizada *para* servir, y su misión es la de anunciar el evangelio al mundo" (*Los hechos de los apóstoles*, p. 9).

En esta cita encontramos repetida la preposición *para*. La iglesia existe *para* cumplir una misión.

En los inicios del movimiento adventista, la percepción de la misión estaba clara. En 1893, cuando la iglesia estaba en sus primeros años de existencia, la sierva del Señor ya lo decía: "Nuestra obra está claramente esbozada en la Palabra de Dios. El cristiano tiene que estar unido al cristiano, una iglesia a otra iglesia, el instrumento humano cooperando con el divino, cada agente subordinado al Espíritu Santo, y todos unidos *para* dar al mundo las buenas nuevas de la gracia de Dios" (*Boletín de la Asociación General*, 28 de febrero de 1893, p. 421).

La historia nos muestra que nacimos con una visión clara de la misión y del papel de la testificación en la vida de cada creyente. Pero algo sucedió a lo largo del camino. Muchas iglesias hoy creen que la iglesia es un refugio para niños frágiles e indefensos, carentes de protección y cuidado. Al primer lloro, el pastor corre a colocar el chupete en la boca del nene que reclama. Muchos ministros están haciendo el papel de "niñeros". Su principal trabajo es mecer la cuna para que el nene no llore. Olvidamos que nacimos con un propósito, y olvidamos también que la mejor manera de conservar a los miembros con salud espiritual es comprometiéndolos con la tarea de compartir a Jesús.

"El vigor viene por medio del ejercicio. Todos los que utilizan la capacidad que Dios les ha dado, recibirán cada vez más habilidad para dedicar a su servicio. Los que no hacen nada en la causa de Dios dejarán de crecer en gracia y en el conocimiento de la verdad. Un hombre que se acuesta y rehúsa ejercitar sus extremidades, pronto perderá su capacidad de usarlas. De la misma manera, un cristiano que no ejercita las facultades que Dios le ha dado, no solamente dejará de crecer en Cristo Jesús, sino que perderá la fuerza que ya tiene y se convertirá en un paralítico espiritual. Los que se establecen, fortalecen y afianzan en la verdad son los que, motivados por el amor de Dios y de sus semejantes, se esfuerzan por servir a otros" (*Testimonios para la iglesia*, t. 5, pp. 370, 371).

¡Un paralítico espiritual! La figura que usa la sierva del Señor es muy fuerte. Un paralítico es una persona que arrastra su cuerpo y generalmente vive lamentándose de todo. "Tal es la receta que Cristo prescribió para el alma que desmaya, duda y tiembla. Levántense los pesarosos, los que andan tristes delante del Señor, y socorran a alguien que necesita auxilio" (*Joyas de los testimonios*, t. 2 p. 504).

La misión de buscar a los pecadores y llevarlos a Cristo no es tarea de unos pocos voluntarios. No debe serlo.

"El secreto de nuestro éxito en la obra de Dios se encuentra en la operación armoniosa de nuestro pueblo. Tiene que haber una acción concentrada. *Todo miembro* del cuerpo de Cristo tiene que hacer su parte en la causa de Dios..." (*Review and Herald*, 2 de diciembre de 1890).

Innumerables veces se usa la referencia a "todos" y "cada uno". La misión pertenece a la iglesia, pero la iglesia está formada por "todos" y "cada uno".

"*Cada uno* debe ocupar su lugar, pensando, hablando y actuando en armonía con el Espíritu de Dios. Entonces, pero no antes, será la obra un conjunto completo y simétrico (*Joyas de los Testimonios*, t. 2, p. 531).

En la iglesia hay trabajo para cada uno y para todos. En un sentido, la misión de llevar almas a Cristo es el deber de cada uno, pero en otro sentido, es deber de todos. El miembro individual que desea compartir a Jesús tendrá muchas dificultades si no cuenta con el apoyo de la iglesia como un todo.

Dentro de este contexto, la misión evangelizadora de la iglesia no puede ser realizada por campañas evangelizadoras, sino que debe ser una actividad permanente; debe ser la vida normal de la iglesia. El programa misionero de la iglesia no depende de una persona. Se realiza todos los días y en todo momento. Las puertas de la iglesia se abren para recibir a las personas que los miembros individuales traen; y todos miran a esas personas como joyas preciosas en la familia de Dios, niños espirituales que están naciendo en el reino del Padre.

Las antenas misioneras de la iglesia están siempre listas para detectar a las personas que están llegando, y los brazos y los corazones de todos están abiertos para recibirlos y darles el amor que necesitan para crecer y alcanzar la madurez espiritual.

Toda iglesia consciente de su propósito misionero debería tener algunas actividades que funcionen permanentemente:

1. *Una excelente comisión de recepción.* Los recepcionistas son el rostro de la iglesia. Ellos están ahí para recibir a las personas y hacer que se sientan amadas. El miembro de iglesia que lleva por primera vez a su amigo, debe comunicar con anticipación a la comisión de recepción el nombre de su amigo. De modo que cuando la persona aparece, un recepcionista se aproxima a ella y la llama por su nombre. No existe sonido más dulce para el oído de alguien que el sonido de su propio nombre. El amigo debe ser conducido con amor

a un lugar especial y debe colocarse una Biblia en sus manos. Este detalle estará dando un mensaje subliminal: "Aquí venimos a estudiar la Palabra de Dios".

2. *Amor y compañerismo*. La iglesia toda debe ser educada para cultivar un clima de receptividad, amor y compañerismo. La responsabilidad de que las nuevas personas se sientan amadas y bien recibidas no es solo de la comisión de recepción, sino de toda la iglesia. Cada cristiano que nace en el reino de Dios debe ser educado para que salude con una sonrisa a las personas desconocidas. Si hay que olvidarse de saludar a alguien, que sea el amigo o el conocido, pero los invitados deben respirar el clima de amor, y deben salir con ganas de regresar. Esto será natural si el carácter de Jesucristo está reflejado en la vida de su iglesia.

"Tenemos el deber de reflejar el carácter de Jesús. Deberíamos dejar que la hermosa imagen de Jesús aparezca en todas partes, sea que estemos en la iglesia, en nuestros hogares, o en el contacto social con nuestros vecinos" (*Signs of the Times*, 18 de agosto, 1887).

Cada persona que viene por primera vez a la iglesia debería ver la hermosa imagen de Jesús en el rostro de cada miembro de iglesia.

3. *Un almuerzo de compañerismo*. Las personas deben ser invitadas a compartir el almuerzo con la iglesia. Y en ese momento, todos los miembros deben estar entrenados para saludar efusivamente a los desconocidos y sentarse con ellos. Cuando alguien está solo, hay que sentarse a su lado e iniciar la conversación. Hacer que se sienta querido. Las grandes

conquistas ocurren a causa de la emoción, no de la razón. Las personas que visitan la iglesia pueden ignorar la doctrina, pero querrán volver a causa del amor que recibieron. Para esto, la iglesia debe practicar el amor. A fin de llegar a este punto, es necesario que cada cristiano ore todos los días, estudie la Biblia siempre y comparta a Jesús. Volvemos al principio del círculo.

4. *Un culto de oración atractivo.* Los cultos de oración necesitan transformarse en cultos de intercesión. La iglesia toda debe orar por las personas con las cuales los miembros están trabajando. Cuando la iglesia de Dios ora, algo extraordinario sucede. Yo he visto milagros. Cuando la iglesia oró, esposos que no querían saber nada de Jesús y maltrataban a sus esposas por causa de la fe, fueron tocados por el Espíritu. Cuando la iglesia oró sin cesar, hijos rebeldes volvieron a su hogar y pidieron perdón a sus padres.

Si cada miembro de iglesia ora por la persona que está evangelizando, y si la iglesia se une a él para interceder, alguna cosa extraordinaria tiene que suceder.

Los cultos de los miércoles deben transformarse en cultos de testimonios. Los hermanos contarán sus testimonios a medida que Dios obra maravillas en la vida de sus amigos. Deben ser cultos llenos de fervor y amor.

5. *Una clase bíblica bautismal.* Esta es otra de las actividades permanentes de una iglesia con propósito. Este es el semillero de bautismos, es el vientre donde los futuros miembros de iglesia están siendo preparados para nacer. Cuando el creyente adventista lleva una persona a Cristo, y ésta le

empieza a hacer preguntas de la Biblia, la iglesia debe proveer apoyo, para que los que no saben dar estudios bíblicos tengan un lugar donde llevar a sus amigos. Tu único trabajo es acompañarlo a la clase y sentarte a su lado para ayudarlo a buscar los textos de la Biblia. Allí habrá un maestro preparado que se encargará de enseñar y explicar los puntos que tal vez tú no puedas explicar.

Las iglesias que olvidan el propósito de su existencia se transforman en clubes religiosos. Se reúnen una o dos veces por semana para la realización de un programa, y nada más. Piensa en el comportamiento de una iglesia de este tipo. A lo largo de la semana los directores de los departamentos trabajan en la preparación del programa para el sábado. Distribuyen las responsabilidades, organizan el programa en sí, buscan las partes especiales, escogen los himnos, etc. Cada día realizan llamadas telefónicas para recordarles a los responsables su participación en el programa. Cuando llega el sábado, allá están ellos, ansiosos para que todo les salga bien. Y generalmente así es.

El programa y el sábado llegan al fin, y ellos respiran profundamente, aliviados y agradecidos a Dios porque todo salió bien. Pero, en seguida, empiezan de nuevo la rutina semanal; ahora hay que preparar el programa del sábado siguiente. ¿Te das cuenta? La vida de la iglesia que perdió su propósito consiste solo en preparar programas. Unos pocos participan y la mayoría observa. Si les gustó, felicitan y regresan; si no, critican y buscan otra iglesia donde haya un programa mejor. Es la iglesia del espectáculo.

¿Y el pastor? Sin darse cuenta, cae en la trampa de vivir preparando sermones sustanciosos para que la iglesia sea "bien alimentada". Nada malo hay en predicar buenos sermones. Esta es la misión del pastor. Hay que predicar y hay que hacerlo bien. Pero eso es solo una parte del trabajo del ministro. Su misión es preparar la iglesia gloriosa para el encuentro con Jesús, pero él solo está ocupado en elaborar nuevos sermones para una iglesia cada vez más exigente. No le resta tiempo para nada.

En estas circunstancias la sierva del Señor aconseja: "Si los ministros predicaran más corto, al punto, y luego enseñaran a trabajar a los hermanos, y depusieran la carga sobre ellos, ellos mismos serían librados del agotamiento, la gente obtendría fortaleza espiritual por el esfuerzo realizado, y los resultados serían diez veces mayores de lo que son" (*La voz: su educación y uso correcto*, p. 272).

Revisemos estas ideas:

- El ministro debe predicar, breve y al punto.
- Además de predicar, debe enseñarles a los hermanos a trabajar.
- El resultado será triple: En primer lugar, el ministro será librado del agotamiento. Luego, los miembros obtendrán fortaleza espiritual. Finalmente, los resultados serán diez veces mayores de lo que son.

¡Necesitamos iglesias que tengan claro el propósito de su existencia! Esa es la más grande necesidad del mundo: Un pueblo que sepa para qué existe y por qué Dios permitió que apareciese en el escenario profético; una iglesia con propósito.

Jesús es duro con las iglesias que pierden de vista su propósito. En cierta ocasión dijo: "Vosotros sois la sal de la tierra; pero si la sal se desvaneciere, ¿con qué será salada? No sirve más para nada, sino para ser echada fuera y hollada por los hombres" (Mat. 5:13). En estas palabras está encerrado el principio que le da sentido a las cosas. Todo tiene razón de existir, si cumple con su propósito. El propósito de la sal es dar sabor a la comida, pero si la sal no cumple con su misión, en las palabras de Jesús: "No sirve más para nada, sino para ser echada fuera y hollada por los hombres". Y, ¿cuál es el propósito de la iglesia? Predicar el evangelio. ¿Cuál debería ser el destino de una iglesia que no cumple su propósito? Puede parecer duro, pero Jesús no pensó dos veces para decirlo.

El otro día alguien me preguntó: ¿Cómo podemos saber si estamos cumpliendo la misión? La respuesta es de la sierva del Señor: "Los creyentes tesalonicenses eran verdaderos misioneros... Los corazones eran ganados por las verdades presentadas y almas eran añadidas al número de los creyentes" (*Hechos de los apóstoles*, p. 208).

¿Cómo sabemos que los tesalonicenses eran verdaderos misioneros? Porque "almas eran añadidas al número de los creyentes". Destaco la palabra "añadir". Esta es una referencia a los números. No hay mejor manera de medir algo que a través de números. Si tú me dices que has bajado de peso, yo te voy a preguntar: "¿Cuántas libras? Si me dices que estás envejeciendo, mi pregunta será: "¿Cuántos años tienes?" Los números no son los mejores indicadores, pero todavía no se han descubierto otros mejores.

En los primeros años de nuestra historia, la sierva de Dios escribió lo siguiente: "Los adventistas del séptimo día están haciendo progresos, duplicando su número, estableciendo misiones y desplegando la bandera de la verdad en los lugares tenebrosos de la tierra; sin embargo la obra avanza mucho más lentamente de lo que Dios quiere (*El servicio cristiano*, p. 123).

¿Cómo era posible saber que los primeros adventistas estaban "haciendo progresos"? Porque estaban "duplicando su número". En otra ocasión, ella afirmó: "Si cada adventista del séptimo día hubiese cumplido su parte, el número de creyentes sería ahora mucho mayor" (*Joyas de los testimonios*, t. 3, p. 293).

¿Ves cómo los números estaban presentes en la historia de la iglesia? Si la iglesia cumple la misión, el resultado natural será el crecimiento numérico. El peligro reside en vivir preocupados por aumentar los números, olvidando que ellos solo tienen sentido cuando son el resultado natural del crecimiento espiritual de la iglesia. Ya lo dijimos en un capítulo anterior. Es posible crecer numéricamente sin crecer espiritualmente, pero es imposible crecer espiritualmente sin crecer numéricamente.

Nuestra prioridad debe ser el crecimiento espiritual del reino de Dios, y preparar la iglesia gloriosa que Jesús viene a buscar.

PARA REFLEXIONAR

1. ¿Cómo describe el Apocalipsis la visión de Dios acerca del futuro de la predicación del evangelio?

2. ¿Cuán importante es la misión en la vida de la iglesia?

3. ¿Qué es el principio del círculo?

4. ¿Qué función cumplió la misión en el surgimiento de la Iglesia Adventista del Séptimo Día?

5. ¿Cuáles son las actividades de una iglesia que cumple su misión?

Capítulo 9

¿MÉTODOS HUMANOS
O PLAN MAESTRO?

No es fácil hablar de la misión evangelizadora de la iglesia. Debemos ser cuidadosos para no confundir la misión con los métodos. La misión es reflejar el carácter de Jesucristo en medio de un mundo cubierto de tinieblas. En nuestros días, la gloria de los hombres ha opacado la gloria de Dios. Ha llegado el momento de prestar oídos a la invitación divina: "Levántate, resplandece; porque ha venido tu luz, y la gloria de Jehová ha nacido sobre ti. Porque he aquí que tinieblas cubrirán la tierra, y oscuridad las naciones; mas sobre ti amanecerá Jehová, y sobre ti será vista su gloria. Y andarán las naciones a tu luz, y los reyes al resplandor de tu nacimiento" (Isa. 60:1-3).

Vivimos días de tinieblas espirituales. El humanismo se ha mezclado con todas las tendencias del pensamiento humano. Ha invadido profundamente el terreno espiritual. Hoy existen iglesias cuyo único propósito es la exaltación del ser humano, bajo el pretexto de la adoración a Dios. La gloria de los hombres intenta opacar la gloria de Dios. Los métodos humanos son colocados en el primer lugar; y el plan maestro de Jesús para evangelizar el mundo es considerado obvio. En medio de ese valle de penumbras espirituales, el pueblo de Dios es desafiado a levantarse e iluminar el mundo con la gloria de Dios,

El primer ángel aparece en el escenario de los tiempos, anunciando un mensaje: "Temed a Dios y dadle gloria, porque la hora de su juicio ha llegado" (Apoc. 14:7). La gloria de Dios debe cubrir la tierra antes de la venida de Cristo. El universo debe saber que la gloria, que un día le fue arrebatada a Jesús por el enemigo, pertenece exclusivamente al Hijo de Dios. Solo él es el Rey de reyes y Señor de señores. Y Dios tiene en esta tierra un pueblo para proclamar ese mensaje de la gloria de Dios, en la teoría y en la práctica. En la teoría, basado en la Palabra. Y en la práctica, expresado en el carácter.

Dentro de este contexto, cada vez que pensemos en la misión debemos hacerlo en términos de reflejar la gloria de Dios. Para esto, el cristiano solo necesita ser luz. Y lo será en la medida que se aproxime a Jesús, la luz del mundo. Esta aproximación tampoco es teórica. Es una experiencia de vida. No existe comunión con Jesús sin orar todos los días, sin estudiar la Biblia y sin compartir a Cristo. Es necesario repetir este concepto una y otra vez. La misión no le fue dada al ser humano porque Dios no podía predicar el evangelio sin la ayuda del hombre, sino para que éste creciera espiritualmente y reflejara la gloria de Dios.

Volvemos al concepto del círculo. Reflejar la gloria de Dios es al mismo tiempo causa y efecto. Cuanto más el cristiano se aproxima a Jesús, más personas lleva a los pies de

Cristo, y viceversa. Una acción lleva a la otra; una experiencia hace posible la otra.

"Mientras impartan aquello que recibieron de Dios, serán confirmados en la fe" (*Joyas de los testimonios*, t. 3, p. 68).

El desafío que los líderes tenemos es llevar a cada cristiano a formar parte del reino de Dios, a reflejar el carácter de Jesucristo y a brillar en medio de las tinieblas. Brillar es llevar almas a Jesús. La sierva del Señor dice que "la vida de Cristo es un ejemplo para todos sus seguidores, porque muestra el deber de los que han aprendido el camino de la vida, de enseñar a otros lo que significa creer en la palabra de Dios… A todos los creyentes en Cristo se les han dado palabras de esperanza para los que se encuentran en las tinieblas: 'Tierra de Zabulón y tierra de Neftalí, camino del mar, al otro lado del Jordán, Galilea de los gentiles; el pueblo asentado en tinieblas vio gran luz; y a los asentados en región de sombra de muerte, luz les resplandeció' (Mat. 4:15, 16)" (*Consejos sobre la salud*, p. 385).

Nota dos expresiones que registra la profecía de Isaías:

- "El pueblo asentado en tinieblas vio gran luz".
- "A los asentados en región de sombra de muerte, luz les resplandeció".

En el concepto bíblico, predicar el evangelio es mostrar la luz de la gloria de Dios a los que viven en tinieblas espirituales. Fue de esa manera que Jesús evangelizó el mundo de sus días. Fue así que el Padre lo envió, y ahora él dice: "Como me envió el Padre, así también yo os envío" (Juan 20:21).

Hacer que cada cristiano refleje el carácter de Jesús y lleve personas a Cristo no es simplemente un método. Es la piedra fundamental de la evangelización. Es la línea maestra de la testificación. Es a partir de esta experiencia que encajan todos los otros métodos que podamos idealizar. Pero, cualquier método que deja de lado al cristiano es invención humana.

Cada vez que olvidamos las instrucciones de la Palabra de Dios y del espíritu de profecía, bebemos de las fuentes de la sabiduría humana. Cuando tratamos de imitar "el método revolucionario" de otras iglesias que crecen numéricamente, y nos olvidamos de las instrucciones divinas, nos desviamos por caminos extraños.

No es malo observar lo que las iglesias hacen para aumentar de miembros, pero el Señor nos dejó instrucción suficiente para el cumplimiento de la misión, y hay peligro en aplicar métodos humanos como solución para "los terrenos difíciles".

"El mundo se ha convertido en un lazareto de pecado... No debemos practicar sus métodos ni seguir sus costumbres... Cristo dijo a sus seguidores: 'Así alumbre vuestra luz delante de los hombres, para que vean vuestras buenas obras, y glorifiquen a vuestro Padre que está en los cielos' " (Mat. 5: 16; *Consejos sobre la salud*, p. 594).

Es triste a veces observar que gastamos tiempo y recursos en contratar asesores en desarrollo empresarial, cuando todos esos recursos deberían canalizarse en estudiar cómo Jesús quiere que terminemos su obra. Tal vez por esto sufrimos constantes frustraciones, y llegamos a la conclusión de que el terreno, en ciertos lugares, es muy difícil para la evangelización.

"Si queréis acercaros a la gente en forma aceptable, humillad vuestros corazones delante de Dios y aprended sus caminos. Obtendremos mucha instrucción para nuestra obra de un estudio de los métodos de trabajo de Cristo y de su manera de encontrarse con la gente" (*El evangelismo*, p. 44).

¿Cómo se aproximaba Jesús a las personas? ¿Por qué tenía tanto éxito en su tarea evangelizadora? ¿Cómo conducir almas a Cristo sin hacer de este trabajo un fardo pesado e imposible de llevar? Este es el asunto del próximo capítulo.

PREGUNTAS PARA REFLEXIONAR

1. ¿Qué diferencia hay entre la misión y un simple método de evangelización?

2. ¿Es mi iglesia una comunidad que solo exalta al ser humano?

3. ¿Cuál es el mensaje del primer angel de Apocalipsis 14:6?

4. ¿Cómo se expresará la gloria de Dios en la vida de los creyentes adventistas?

5. ¿Qué significan las dos expresiones que registra la profecía de Isaías?

Capítulo 10

UN DESAFÍO A LOS PASTORES

*D*espués de algunas horas tratando de ver algo en el agua, frustrado, el rey volvió a su palacio e increpó a su viejo y sabio consejero:

—No pude ver nada en el lago. Déjate de tonterías y de una vez dime quién es mi peor enemigo.

—Es increíble que no te hayas dado cuenta —contestó el sabio—. Lo has tenido delante de ti. Es el reflejo de tu propia imagen, eres tú mismo. Tú eres tu peor enemigo. Eres un líder que no quiere entender, que solo quiere liderar pero ni siquiera sabe a dónde desea llevar a su pueblo. Tienes un enorme ejército, pero de nada te sirve, porque al igual que tú está infectado por la soberbia que no le permite ver sus propias necesidades. Estás haciéndote daño a ti mismo, así como a tu pueblo. Estás perdido. Tú eres el peor enemigo que tienes.

Esta historia es repetida. Pablo escribía en sus tiempos: "Mirad, pues, con diligencia cómo andéis, no como necios sino como sabios… Por tanto, no seáis insensatos, sino entendidos de cuál sea la voluntad del Señor" (Efe. 5:15, 17).

Andar con diligencia, no como necios sino como sabios. ¡Qué desafío! Especialmente para los dirigentes. Para Pablo, la sabiduría de un siervo de Dios está relacionada con entender la voluntad del Señor. ¿Hemos entendido la voluntad de Dios con relación a la misión? ¿Cómo puedo pastorear a mis ovejas si no sé a dónde voy? ¿Cómo puedo ejercer mi ministerio si ignoro en qué consiste el ministerio que Dios me confió? ¿Qué misión puedo cumplir si no he entendido cuál es la voluntad del Señor?

Desde el punto de vista divino, la misión de compartir a Jesús corresponde al miembro de iglesia. "El humilde y consagrado creyente sobre quien el Señor de la viña deposita preocupación por las almas, debe ser animado por los hombres a quienes Dios ha confiado mayores responsabilidades (*Los hechos de los apóstoles*, p. 90).

¿Quién es el "humilde y consagrado creyente"? ¡El miembro de la iglesia! Es sobre él que el Señor ha depositado la preocupación por las almas. ¿Por qué? Porque él necesita crecer espiritualmente, es él quien finalmente formará parte de la iglesia gloriosa que Jesús vendrá a buscar en ocasión de su segunda venida. Si yo, como ministro, dejo de lado a la iglesia, demuestro que no entendí "la voluntad del Señor" en relación a la misión. Si en mi afán de alcanzar mis metas y blancos utilizo cualquier método que deje al miembro de iglesia simplemente como observador, estoy condenando a mis ovejas a la perdición; y un día, Dios me juzgará por esto. Pude haber sido sincero en lo que hacía, pero hice lo que Dios no pidió, y me olvidé de preparar la iglesia gloriosa, santa, pura y sin mancha.

"El humilde y consagrado creyente", dice el texto, debe ser animado por los "hombres a quiénes Dios ha confiado mayores responsabilidades". ¿Quiénes son esos hombres? Los ministros. El trabajo del ministro no es que él lleve solo las almas a Cristo. En el plan divino, esa tarea debe ser cumplida por el miembro de la iglesia.

"Cuando trabaje donde ya haya algunos creyentes, el predicador debe, primero, no tanto tratar de convertir a los no creyentes como preparar a los miembros de la iglesia para que presten una cooperación aceptable. Trabaje él por ellos individualmente, esforzándose por inducirlos… a trabajar por otros" (*Obreros evangélicos*, p. 206).

El pastor jamás debe realizar el trabajo que le pertenece a la iglesia: "La predicación es una pequeña parte de la obra que ha de ser hecha por la salvación de las almas. El Espíritu de Dios convence a los pecadores de la verdad, y los pone en los brazos de la iglesia. Los predicadores pueden hacer su parte, pero no pueden nunca realizar la obra que la iglesia debe hacer (*Joyas de los testimonios,* t. 1, p. 456).

Este mensaje está dirigido a los pastores y se refiere a la predicación desde el púlpito. Menciona a la predicación como "una pequeña parte de la obra que ha de ser hecha por la salvación de las almas". Pero es Dios el que realiza el trabajo. ¿Cómo? Poniendo a las personas en los brazos de la iglesia. Y concluye: "Los predicadores no pueden nunca realizar la obra que la iglesia debe hacer". No es necesario explicar que cuando se menciona a la iglesia, no se está hablando de la iglesia como institución, sino de la iglesia como cada creyente individual.

"La idea de que el ministro debe llevar toda la carga y hacer todo el trabajo, es un gran error... A fin de que la carga sea distribuida, deben educar a la iglesia..." (*Joyas de los testimonios*, t. 3, p. 68).

El trabajo del ministro es preparar, educar, enseñar, concientizar, organizar, inspirar e equipar a los miembros de la iglesia para que cumplan su deber. Necesitan hacerlo, porque ese es el medio creado por Dios para reproducir en ellos el carácter de Jesucristo, y hacerles reflejar su gloria. El pastor no puede pensar que su misión consiste simplemente en predicar el evangelio de cualquier modo.

"Dios podría haber alcanzado su objeto de salvar a los pecadores, sin nuestra ayuda; pero a fin de que podamos desarrollar un carácter como el de Cristo, debemos participar en su obra" (*El Deseado de todas las gentes,* p. 116).

Por lo tanto, "la mejor ayuda que los predicadores pueden dar a los miembros de nuestras iglesias... no consiste en sermonearlos, sino en trazarles planes de trabajo. Dad a cada uno un trabajo que ayude al prójimo... Si se los pone a trabajar, los abatidos se olvidarán muy pronto de su desaliento; el débil se tornará fuerte; el ignorante, inteligente; y todos aprenderán a presentar la verdad tal cual es en Jesús" (*Joyas de los testimonios,* t. 3, p. 323).

¿Te das cuenta cómo se va formando la iglesia gloriosa de Dios? No hay más abatidos ni desanimados ni quejosos. ¿Por qué? Porque el ministro entendió su deber y cumple su misión. El ministro entendió que Jesús no le confió la misión al ser humano porque Dios no podía realizarla, sino porque el ser humano necesita la misión para crecer y reflejar el carácter de Dios.

Pero la sierva del Señor es más contundente. Ella afirma algo que a simple vista asusta: "Los pastores no deben hacer la obra que pertenece a la iglesia... impidiendo que otros desempeñen su deber. Deben enseñar a los miembros a trabajar en la iglesia y en la comunidad" (*El servicio cristiano*, p. 88).

En el original inglés, la idea es que se les prohíbe a los pastores hacer la obra que Dios espera que la iglesia haga. La iglesia necesita crecer; y si no se compromete con la misión, no crecerá.

"Enseñen los predicadores a los miembros de la iglesia que a fin de crecer en espiritualidad, deben llevar la carga que el Señor les ha impuesto, la carga de conducir almas a la verdad. Aquellos que no cumplan con su responsabilidad deben ser visitados, y hay que orar con ellos y trabajar por ellos. No induzcáis a los miembros a depender de vosotros como predicadores; enseñadles más bien a emplear sus talentos en dar la verdad a los que los rodean. Al trabajar así tendrán la cooperación de los ángeles celestiales, y obtendrán una experiencia que aumentará su fe, y les dará una fuerte confianza en Dios" (*Obreros evangélicos*, p. 211).

Desde el punto de vista de Dios, las responsabilidades en el cumplimiento de la misión están bien definidas. El miembro de iglesia necesita orar, estudiar la Biblia todos los días y compartir a Cristo. Al llevar un alma a los pies de Jesús, ésta va a llevar a otra, y otra, y así sucesivamente. Si no lo hace, está condenado a la muerte espiritual. Así como el adulto que come y come y no hace ejercicio, terminará muerto de un infarto.

Por otro lado, el trabajo del ministro es enseñar, educar,

inspirar, desafiar, capacitar y equipar al miembro de la iglesia. En otras palabras, preparar a la iglesia para encontrarse con Jesús; edificar la iglesia de los sueños de Dios, una iglesia santa, gloriosa, sin mancha, ni arruga, ni cosa semejante. Y este trabajo no puede ser hecho desde el púlpito. Es común pensar que con dar un seminario para instructores bíblicos el sábado de tarde, o un curso de preparación para parejas misioneras en tres fines de semana, el trabajo de instrucción para el año ya está cumplido. No es así.

La enseñanza es un trabajo personal, y lleva años. No sucede en un sábado o en un mes. Es un proceso que a veces lleva toda la vida. Mientras vamos aprendiendo, vamos creciendo. No es suficiente con dar una clase para cuarenta personas interesadas en aprender. La misión no es el trabajo de unos pocos, sino de toda la iglesia y de cada miembro. Todos necesitan ser salvos. La misión es la clave del crecimiento; no es una opción; no es para los que tienen tiempo o para los que recibieron el don. Es para todos. Por eso, la sierva del Señor dice: "Aquellos que no cumplan con su responsabilidad deben ser visitados, y hay que orar con ellos y trabajar por ellos" (*Obreros evangélicos,* p. 211).

Este es el trabajo del pastor. Visitar a los que no se comprometen con la misión, pasar tiempo con ellos, orando y enseñándoles cómo buscar un conocido y llevarlo a Cristo. Esta es la manera de desarrollar una iglesia fuerte, que no sea fácil víctima de los ataques del enemigo.

"Si los ministros… enseñaran a trabajar a los hermanos, y depusieran la carga sobre ellos… la gente obtendría fortaleza espiritual por el esfuerzo realizado, y los resultados serían diez veces mayores de lo que son" (*Signs of the Times*, 17-5-1883; citado en *La voz: su educación y uso correcto*, p. 272).

Resultados diez veces mayores. ¿No es esto lo que todo ministro desea? Pero eso jamás sucederá, a menos que el ministro entienda cuál es el plan de Dios para evangelizar el mundo, y esté dispuesto a seguir la orden del Señor.

Yo sé que esta tarea no es fácil. Por eso, "muchos pastores fracasan al no saber, o no tratar de conseguir que todos los miembros de la iglesia se empeñen activamente" (*Obreros evangélicos*, p. 208).

A la luz de esta cita, los pastores fracasan en el ministerio por dos motivos. En primer lugar, porque no saben; y en segundo lugar, porque sabiendo lo que deben hacer, no tratan de hacerlo. ¿En qué grupo me encuentro yo? ¿Soy de los que nunca entendió, o de los que no acepta? ¿Recuerdas lo que el sabio consejero le dijo al rey? "Tú eres tu peor enemigo". No son las circunstancias, no es el territorio ni la mente secularizada del pueblo, no es la falta de presupuesto ni las dificultades de la región. Soy yo. Ya sea porque no entendí, o porque habiendo entendido, no lo acepto.

Hay más. La cita completa dice: "Si los pastores dedicasen más atención a conseguir que su grey se ocupe activamente en la obra y a mantenerla así ocupada, lograrían mayor suma de bien, tendrían más tiempo para estudiar y hacer visitas religiosas, y evitarían también muchas causas de irritación" (*Obreros evangélicos,* p. 208).

Si los pastores prestasen "más atención". Quiere decir que existe un tercer grupo formado por los que entendieron, desean hacerlo, pero no le prestan "mucha atención".

Consideran este asunto como "un método más" en medio de tantos otros métodos. Pero no es así. Hacer que cada miembro participe de la bendición de conducir una persona a Cristo no es un método. Es a partir de aquí que todo lo demás funciona. Cualquier método, cualquier emprendimiento evangelizador que deja al miembro de lado, con seguridad es un método humano. Puede traer resultados, puede redundar en muchos bautismos y hasta en el aumento de los diezmos, pero no cumple el objetivo que Dios tenía en mente cuando le confió la misión a la iglesia como un instrumento de crecimiento espiritual.

"Pero pastor —me dijo el otro día un compañero de ministerio—, si voy a esperar que los hermanos salgan a buscar a las personas, va a llegar el fin del año y no habré alcanzado mi blanco. ¿Qué explicación tendré entonces delante de la administración?"

Este es un asunto más importante de lo que parece a simple vista. Con frecuencia tiemblo delante de conceptos inspirados que están ante nuestros ojos. Como éste: "Los dirigentes de la iglesia de Dios han de comprender que la comisión del Salvador se da a todo el que cree en su nombre (*Los hechos de los apóstoles*, p. 90).

¿Sabes lo que Dios está diciendo? Que antes de elegir a alguien para algún cargo directivo dentro de la iglesia, en cualquier nivel, debemos preguntarnos si esa persona entendió que "la comisión del Salvador se da a todo el que cree en su nombre". No son los talentos administrativos ni el título ni las estadísticas positivas que acompañen su trayectoria, sino el hecho de que entendió o no el plan divino para su iglesia.

El espíritu de profecía lo dice más de una vez y de varias maneras: "'Me alegraré con Jerusalén, y me gozaré con mi pueblo' (Isaías 65:19), declaró Dios por medio de su siervo Isaías. Estas palabras encontrarán su cumplimiento cuando los que son capaces de ocupar posiciones de responsabilidad dejen brillar su luz… Los métodos de trabajo de Cristo deben llegar a ser sus métodos, y deben aprender a practicar las enseñanzas de su palabra" (*Consejos sobre la salud*, p. 336).

Aunque estas palabras fueron escritas originalmente para la obra médica, es dramático el llamado de la sierva de Dios. Ella dice que si soy capaz de ocupar una posición de responsabilidad, no solo debo dejar brillar mi luz, sino que, como líder, tengo la obligación de seguir los métodos de Cristo y de practicar las enseñanzas de su Palabra.

"Los ancianos y los que tienen puestos directivos en la iglesia deben dedicar más pensamiento a los planes que hagan para conducir la obra. Deben arreglar los asuntos de tal manera que *todo miembro* de la iglesia tenga una parte que desempeñar, que nadie lleve una vida sin propósito" (*Review and Herald,* 2 de septiembre de 1890).

La iglesia jamás llegará más allá de donde yo, como pastor, llego. Es mi deber apoderarme del sueño divino, hacerlo mío, cerrar los ojos e imaginar al Señor Jesucristo volviendo en las nubes de los cielos para encontrar a su iglesia gloriosa, sin mancha, sin arruga ni cosa parecida.

PARA REFLEXIONAR
1. ¿Quién puede ser nuestro peor enemigo?

2. ¿Quién es el "humilde y consagrado creyente" según el espíritu de profecía?

3. ¿Cuál es el trabajo del ministro?

4. ¿Cuáles son las dos razones por las que fracasa un pastor?

5. ¿Qué alcance tiene para mi vida la cita de la página 90 de *Los hechos de los apóstoles*?

Capítulo 11

¿Y DÓNDE QUEDA EL EVANGELISMO PÚBLICO?

*E*l remanente vino al mundo con partida de nacimiento registrada en la notaría celestial. Daniel 8:14 y Apocalipsis 14:6 al 12 son los textos de la Biblia que enseñan el surgimiento de un remanente fiel en el escenario profético, para predicar el evangelio eterno.

Pero en aquel tiempo no había iglesia organizada ni había miembros. ¿Cómo podría llevarse a cabo el cumplimiento de la misión, si no había personas que se esparciesen por el mundo reflejando la gloria de Dios? Al contemplar las grandes ciudades sin la presencia de una iglesia, el espíritu de profecía afirmaba en aquellos tiempos: "El Señor tiene un mensaje para nuestras ciudades, y este mensaje hemos de proclamarlo en nuestros congresos y en campañas de evangelismo público, y también por medio de nuestras publicaciones" (*Consejos sobre el régimen alimenticio*, p. 327).

En otra ocasión, la sierva del Señor afirmó: "El Señor desea que proclamemos el mensaje del tercer ángel con po-

der en estas ciudades. No podemos ejercer este poder nosotros mismos. Todo lo que podemos hacer es elegir hombres
de capacidad y urgirlos a ir a esas avenidas de oportunidad y
allí proclamar el mensaje con el poder del Espíritu Santo"
(*El evangelismo*, p. 34).

Esos "hombres de capacidad" eran los evangelistas. El
evangelismo público consistía en series de conferencias presentadas por pastores de experiencia. Se realizaban en salones, teatros, carpas, y en cualquier otro tipo de local público. El evangelista llegaba a esas ciudades, generalmente
acompañado de un equipo de instructores bíblicos, y se
quedaba allí para predicar varias semanas, hasta dejar esta-
blecida una congregación. Ese tipo de trabajo era necesario
en aquellos tiempos. No había otra manera de establecer
una iglesia en esas ciudades. Pero tan pronto se establecía
una iglesia, por pequeña que fuera, el consejo inspirado
cambiaba de orientación: "Cuando trabaje donde ya haya
algunos creyentes, el predicador debe primero no tanto tratar de convertir a los no creyentes como *preparar* a los
miembros de la iglesia para que presten una cooperación
aceptable. Trabaje él por ellos individualmente, esforzándose para inducirlos a buscar una experiencia más profun-
da para sí mismos y a trabajar para otros" (*Obreros evangélicos,* p. 206).

Hoy por hoy, la obra del evangelismo público, como se
denomina a las campañas de dos meses, dirigidas por un
evangelista y su equipo de instructores bíblicos, continúan
siendo necesarias para penetrar territorios que todavía no
fueron evangelizados. Pero en los lugares donde hay miembros, no se puede dejar a la iglesia de brazos cruzados sin

correr el riesgo de recibir la reprobación divina.

Aun así, el evangelismo público anda de la mano con el trabajo de cada cristiano: "Para Pablo, la obra personal no ocupaba el lugar del evangelismo público, sino que era su compañera indispensable" (*Comentario bíblico adventista del séptimo día*, t. 6, p. 386).

¿En qué sentido caminan juntas la obra personal y el evangelismo público? La misión del cristiano es llevar personas a Cristo. Es Jesús que las transforma, y es el Espíritu Santo el que las lleva a la decisión. Pero el pastor, como evangelista, es un instrumento en las manos del Espíritu para conducir a esas personas a la decisión. Lo hace a través de la predicación.

El evangelista de hoy es una especie de partero espiritual. Llega a un lugar para ayudar a la iglesia a dar a luz a los nuevos conversos. La semana de cosecha no es otra cosa que evangelismo público con los miembros de iglesia. Es una semana de muchos nacimientos. Pero para que esto sea una realidad, la iglesia debe haber estado embarazada. Es decir, ella debe haber trabajado personalmente con sus amigos, vecinos y familiares a lo largo de varios meses. Entonces lleva a esas personas a la semana de evangelismo, para que el evangelista las ayude a tomar la decisión. Así, el trabajo personal y el evangelismo público continúan de la mano como en los tiempos del apóstol Pablo. No se trata de un nuevo método de trabajo, sino del plan maestro de Jesucristo para preparar la iglesia de los sueños de Dios.

Si seguimos los consejos divinos para el cumplimiento de la misión, no fracasaremos nunca. Los resultados son positivos. La iglesia es una iglesia viva; pero al mismo tiempo, los números y las estadísticas se multiplican. El problema con la evangelización de las grandes ciudades no radica en la dificultad del territorio, sino en la dureza del corazón humano que se resiste a seguir las instrucciones divinas.

"Los hombres hacen la obra de promover la verdad *diez veces más difícil* de lo que realmente es, al tratar de arrancar la obra de las manos de Dios para colocarla en sus propias manos finitas. Piensan que constantemente deben estar inventado algo para conseguir que los hombres hagan cosas que ellos suponen que esas personas deberían llevar a cabo" (*El evangelismo,* p. 90).

En materia de evangelismo, no hay mucho más que inventar. Jesús habría sido injusto si nos hubiese dado la misión pero no la manera de cumplirla.

Cuentan por allí que la primera vez que colocaron en las calles las máquinas de venta de estampillas, la gente colocaba el dinero pero no leía las instrucciones. En consecuencia, la estampilla no salía, y las personas se ponían nerviosas, golpeaban la máquina, vociferaban, gritaban. En poco tiempo, las máquinas dejaban de funcionar.

Así, la empresa de correos las arregló y las colocó de nuevo en las calles. Pero esta vez, puso un letrero irónico, enorme, con letras grandes: "Cuando se haya cansado de intentar todo y la estampilla no salga, lea las instrucciones, ¡tal vez funcione!" Quiza esta historia no sea totalmente cierta, pero a veces pienso que antes del libro del Génesis, el Señor debió haber colocado en letras gigantes el mismo letrero, relacionado con la misión.

En 1898, el espíritu de profecía decía: "¿Somos nosotros

mayores que nuestro Señor? ¿Era correcto el método que él empleaba?... No hemos aprendido la lección todavía como debiéramos. Cristo declara: Tomad mi yugo de sujeción y obediencia sobre vosotros, y hallaréis descanso para vuestras almas, porque mi yugo es fácil y ligera mi carga" (*El evangelismo*, pp. 47, 48).

¿De qué yugo habla Jesús? Sujeción y obediencia ¿A qué? En el contexto que la sierva del Señor usa las palabras de Jesús, se refiere a la manera en que él nos enseñó a trabajar, al modo cómo él quería que cumpliésemos la misión, preparando la iglesia gloriosa de Dios.

Termino de escribir este capítulo por la noche, a la luz silenciosa de una lámpara, en el cuarto de mi hotel, en Durham, Estados Unidos. Esta noche vi brillar los ojos de muchas personas en la hora del llamado. Decenas vinieron al frente, pero lo que tocó mi corazón fue ver a los miembros de la iglesia pasando al frente para abrazar a las personas que ellos habían llevado a la cruzada evangelizadora. Este es el pueblo maravilloso de Dios preparándose para el encuentro con Jesús; esta es la iglesia gloriosa, sin mancha, sin arruga, ni cosa parecida. Esta es, sin duda, la iglesia de los sueños de Dios.

En seguida cierro los ojos e imagino la emoción de los ángeles porque: "Con avidez casi impaciente, los ángeles aguardan nuestra cooperación; porque el hombre debe ser el medio de comunicación con el hombre. Y cuando nos entregamos a Cristo en una consagración de todo el corazón, los ángeles se regocijan de poder hablar por nuestras voces para revelar el amor de Dios" (*El Deseado de todas las gentes,* p. 264).

PARA REFLEXIONAR

1. ¿Qué función cumple el evangelismo público en la predicación del mensaje?

2. ¿En qué sentido caminan juntas la obra pastoral y el evangelismo público?

3. ¿Cuál es la expresión que usa el autor de este libro para referirse al evangelista?

4. ¿De qué yugo habla Jesús y qué significa?

5. ¿Hay algo más que puede ser inventado en materia de evangelismo?

Capítulo 12

DE DOS EN DOS Y EN PEQUEÑOS GRUPOS

Viernes en el Edén. El primero de la historia. Adán está triste. Observa que todos los seres creados tienen una pareja, y él está solo. No entiende. Sus ojos buscan algo, sin saber bien lo que es. Al verlo triste, Dios dice: "No es bueno que el hombre esté solo" (Gén. 2:18). Y crea a Eva.

Si Dios dice "no es bueno", con toda seguridad no es bueno. Dios jamás se equivoca. El plan original de Dios de darle una compañera a Adán no tenía que ver solo con la cuestión física. Las emociones y la seguridad interior para enfrentar los embates de la vida también estaban presentes. Mientras Adán y Eva estuviesen juntos, el enemigo no tendría ocasión de hacerlos caer. Si ellos se separaban, iban a quedar indefensos y a merced del adversario.

Nunca fue el plan divino que el ser humano viviera solo. Dios creó al ser humano para vivir acompañado: Apoyándose mutuamente, aconsejándose el uno al otro, sosteniéndose en los momentos difíciles.

Al encargarles la misión, no podía ser de otra manera. Esta es la razón por la que Jesús envió a sus discípulos de dos en dos: "Llamando a los doce en derredor de sí, Jesús les ordenó que fueran de dos en dos por los pueblos y aldeas. Ninguno fue enviado solo, sino que el hermano iba asociado con el hermano, el amigo con el amigo. Así podían ayudarse y animarse mutuamente, consultando y orando juntos, supliendo cada uno la debilidad del otro. De la misma manera, envió más tarde a setenta. Era el propósito del Salvador que los mensajeros del evangelio se asociaran de esta manera. En nuestro propio tiempo la obra de evangelización tendría mucho más éxito si se siguiera fielmente este ejemplo" (*El Deseado de todas las gentes*, p. 316).

Veamos los puntos que la sierva de Dios destaca:

● Llamando a los doce, les *ordenó* que fuesen de dos en dos. No fue una sugerencia ni una invitación ni un consejo. Fue una orden.

● Ninguno fue enviado solo. El hermano fue con el hermano, y el amigo con el amigo.

● El propósito de esa orden era que pudiesen "ayudarse y animarse mutuamente, supliendo cada uno la debilidad del otro".

● Al enviar a los setenta, repitió la fórmula. Los envió de dos en dos.

● El propósito de Jesús siempre fue que los "mensajeros del evangelio se asociaran de esta manera".

● En nuestros días, la obra de evangelización tendría *mucho más éxito* si se siguiera *fielmente* este ejemplo.

A lo largo de la historia hemos tomado esta declaración y la hemos usado para formar "parejas misioneras". Hermanos que van de dos en dos a realizar el trabajo misionero los sábados de tarde. Pero el ideal de Jesús era mucho más abarcante. Las parejas misioneras tienen sentido cuando realizan una labor en un período específico. Pero la idea de misión que Dios tiene para sus hijos no es un trabajo o un método especial, sino un estilo de vida. Cuando Jesús envió a sus discípulos a cumplir la misión, los estaba enviando a vivir de cierta manera. La predicación del evangelio no era algo que debían hacer si les sobraba tiempo. Los discípulos predicarían mientras vivieran. Vivir era testificar, y testificar era vivir de cierta manera. Ellos imaginaban su vida en la proclamación del evangelio; mientras realizaban sus tareas cotidianas, predicaban.

Si analizamos el estilo de vida de los discípulos y de los cristianos de la iglesia primitiva, veremos que ellos caminaban por la vida de dos en dos, no solo para predicar el mensaje sino en todo momento. Fueron dos los discípulos que buscaron el pollino para la entrada triunfal de Jesús a Jerusalén (Mat. 21:1). Pedro y Juan hicieron los preparativos para la pascua (Luc. 22:8). Iban juntos al templo a adorar (Hech. 3:1). O sea, la formación de parejas no tenía solo el propósito de realizar un trabajo misionero específico, sino vivir la vida cristiana, ayudándose mutuamente a crecer.

"Es necesario que dos personas trabajen juntas; pues la una puede animar a la otra y juntas pueden aconsejarse, orar y escudriñar la Biblia" (*El evangelismo*, p. 59).

¿El cristiano solo necesita ánimo y consejo para hacer la tarea misionera? ¡Claro que no! Ánimo y consuelo son ingredientes necesarios no solo para predicar el mensaje sino también para enfrentar las luchas de la vida. Por lo tanto, toda iglesia que anhele tener miembros fuertes espiritualmente necesita estar organizada de dos en dos. No solo para llevar personas a Cristo, sino también para vivir la vida cotidiana.

"No sería necesario que estuvieran juntos en toda reunión, pero podrían trabajar en lugares que disten el uno del otro, quince , veinte o cuarenta kilómetros y que fueran lo suficientemente cercano, sin embargo como para que si uno afronta una crisis en su trabajo, pueda llamar al otro en su ayuda. Deberían también reunirse tan a menudo como sea posible a fin de orar y consultarse" (*El evangelismo*, p. 58).

Al contemplar el estilo de vida de nuestras iglesias, debemos reconocer que estamos lejos del estilo de vida que Dios imaginó para sus hijos.

Otro asunto de suma importancia es la organización de pequeños grupos dentro de la iglesia. El espíritu de profecía declara: "La formación de pequeños grupos como base de esfuerzo cristiano, es un plan que ha sido presentado ante mí por aquel que no puede equivocarse. Si hay un gran número de hermanos en la iglesia, organícense en grupos pequeños, para trabajar no solamente por los miembros de la iglesia, sino por los no creyentes también (*El evangelismo*, p. 90).

En las iglesias grandes nadie conoce a nadie. Sucede lo que sucede en toda familia grande. Sabes que fulano es tu primo, pero eso no significa mucha cosa para ti.

Es una realidad triste, pero realidad al fin. En una iglesia de setecientos miembros, un cristiano no pasa de ser un número en la estadística. Si un sábado no viene porque está enfermo, nadie se da cuenta, nadie siente su falta.

Jamás fue el plan de Dios que sus hijos viviesen aglomerados en un solo lugar. Las iglesias grandes, generalmente, se transforman en iglesias tipo "clubes". Los miembros son espectadores de un programa. ¿Cómo puedes promover la participación activa de setecientos miembros al mismo tiempo? Los pequeños grupos son la respuesta. Y la respuesta es inspirada. Fue mostrada por alguien que no puede errar.

Pero ahora viene la pregunta: ¿Cómo se puede organizar un pequeño grupo, si no se puede organizar a la iglesia ni siquiera en parejas? Dos es el núcleo mínimo del grupo. Para que un grupo pequeño funcione bien, primero tienen que funcionar las parejas. Una iglesia organizada por parejas se armará fácilmente en grupos pequeños; y si estos funcionan bien, con toda seguridad las iglesias funcionarán bien. Y el éxito de una iglesia redundará en el éxito de la Asociación, de la Unión, de la División y de la Asociación General.

Nadie nació para vivir solo. ¿Por qué en el reino de Dios las cosas tendrían que ser diferentes? Organiza a tu iglesia en parejas. No dejes que ningún miembro viva solo. Es más fácil vivir la vida cristiana cuando hay alguien que se preocupa y ora por mí, y existe alguien por quien yo me preocupo y oro. ¡La iglesia gloriosa de Dios vive de esta manera!

PARA REFLEXIONAR
1. ¿Cómo debían agruparse los discípulos para llevar el evangelio?

2. ¿Cuál es la razón por la que el Señor los envió de dos en dos?

3. ¿La orden de Jesús de ir de dos en dos tiene un significado más amplio para la vida?

4. ¿Qué relación tiene esta orden del Señor con la declaración de Salomón de que dos son mejor que uno?

5. ¿Cuál es mi responsabilidad en relación con las personas que están solas en la iglesia?

Capítulo 13

EL LUGAR DE LAS PUBLICACIONES

No podría concluir este libro sin hablar de la importancia de las publicaciones en las manos de la iglesia gloriosa que refleja el carácter de Jesucristo, y sale por los caminos de la vida para compartir a Jesús.

En 1857, la sierva del Señor tuvo un sueño: "La noche siguiente soñé que un hombre joven de noble apariencia venía a la habitación donde me encontraba, inmediatamente después de haber estado yo hablando. Esa misma persona se me había aparecido antes en sueños importantes para instruirme de tiempo en tiempo durante los últimos 26 años. Me dijo: ...La imprenta constituye un medio poderoso para mover las mentes y los corazones de las gentes. Y los hombres de este mundo aprovechan la imprenta para obtener el máximo de beneficio, de cada oportunidad de presentar publicaciones deletéreas delante de la gente. Si los hombres que se encuentran bajo la influencia del espíritu del mundo y de Satanás realizan esfuerzos fervientes para hacer circular libros, folletos y revistas de naturaleza corruptora, vosotros debierais estar aún más deseosos de colocar ante la gente material de lectura de un carácter elevador y salvador" (*Consejos sobre la salud,* p. 462, 463).

Hace muchos años llegó a mis manos esta declaración, y ha sido mi consuelo y ánimo en las horas en que me siento desmotivado a continuar escribiendo. Yo siempre afirmo que no soy escritor. Soy un ministro que se esfuerza en escribir. Pero entendí que "nuestras publicaciones pueden ir a lugares donde no se pueden realizar reuniones. En tales sitios el fiel colportor evangélico ocupa el lugar del predicador vivo. Por medio de la obra del colportaje se presenta la verdad a miles de personas que de otra manera nunca la podrían oír" (*El colportor evangélico*, p. 9).

Me emociono cada vez que alguien se aproxima a mí y me dice que llegó al conocimiento del evangelio por causa de un libro o un artículo que escribí. Sé que un día, caminando por las calles gloriosas de la tierra nueva, encontraré muchas personas que jamás me escucharon predicar, pero que leyeron un libro mío.

Pero las publicaciones tendrían poco valor si no fuese por las personas maravillosas que las toman y las distribuyen a sus amigos, vecinos, compañeros de trabajo y familiares. En los primeros años de nuestra historia, esas personas eran llamadas colportores. Casi todo cristiano era un colportor. Hoy, el colportaje es una actividad de dedicación exclusiva, un ministerio para toda la vida. Existen miles de colportores que aceptan el desafío divino de ser portadores de luz a través de la literatura.

Sin embargo, la misión con publicaciones es mucho más

abarcante. Tú no necesitas ser necesariamente un colportor para ser un distribuidor de publicaciones cristianas. Si cada miembro de iglesia distribuyese nuestras publicaciones por donde fuese, el evangelio habría sido predicado con más rapidez.

"Hay muchos lugares en los cuales no puede oírse la voz del predicador, lugares que pueden ser alcanzados únicamente por nuestras publicaciones, los libros, periódicos y folletos que contienen las verdades bíblicas que el pueblo necesita. Nuestras publicaciones han de ser distribuidas por todas partes. La verdad ha de ser sembrada junto a todas las aguas; pues no sabemos cuál ha de prosperar, si esto o lo otro. En nuestro juicio falible podemos pensar que no es aconsejable dar las publicaciones precisamente a las personas, que más rápidamente aceptarían la verdad. No sabemos cuáles pueden ser los resultados al entregar un solo folleto que contiene la verdad presente" (*El colportor evangélico,* p. 5).

Tú no sabes cuál será el resultado de la lectura de una revista o un libro. El mensaje puede parecer olvidado. El libro puede permanecer en algún rincón, lleno de polvo, comido por las cucarachas, ¡pero es una bomba de tiempo! ¡Solo la eternidad mostrará los resultados!

En tu trabajo personal, cuando te hayas ganado la confianza de la persona con la que estás trabajando, coloca libros y revistas en sus manos. El mensaje escrito trabajará silenciosamente y responderá preguntas que la persona tal vez no tiene el valor de hacerte a ti personalmente.

Hay más. No necesitas ser un colportor de tiempo completo. Conozco muchos cristianos que trabajan normalmente en empresas, fábricas y otros centros laborales, pero en sus horas libres se dedican a colportar, a distribuir libros y revistas. El resultado es amplio: establecen contactos maravillosos con personas que pueden traer a Jesús, dejan el mensaje escrito en los hogares y ganan recursos adicionales para las finanzas de la familia.

"Cuando los miembros de la iglesia se den cuenta de la importancia de la circulación de nuestras publicaciones, dedicarán más tiempo a esta obra. Las revistas, los folletos y los libros serán colocados en los hogares de la gente, para predicar el evangelio en sus diversos aspectos… La iglesia debe dar atención a la obra del colportaje. *Esta es una de las formas en que debe brillar en el mundo.* Entonces será 'hermosa como la luna, esclarecida como el sol, imponente como ejércitos en orden' " (*El colportor evangélico,* p. 8).

El mundo agoniza. Las señales de la segunda venida de Cristo aparecen por todos los lados. Es hora de regresar a nuestro hogar eterno, de donde el pecado nos sacó. Es hora de mirar al cielo y ver a Jesús que vuelve para llevar a su iglesia gloriosa. ¿Estás listo para ir con él?

Termino este libro en el hotel de una gran ciudad. Miro nuevamente por la ventana y veo a cientos de personas que se dirigen a sus casas a descansar. Me embarga una emoción: Sé que Aquel que comenzó la obra, la terminará. Me refugio en el pensamiento de que el Espíritu puede lo que no puede el hombre. Tengo la esperanza de que siga trabajando en cada vida humana que habita en este planeta. Entonces viene a mi mente *La invitación de Andrés* —el título del soneto de Ricardo Bentancur—; invitación que originó la iglesia cristiana y con la que tú ayudarás a terminar la obra:

Resbalaba la tarde en la lejana Palestina
cuando al ver aquel rostro Nazareno,
no lo distrajo el discurso del heleno
y se clavó en su corazón sagrada espina.

Ven y prueba la gloria alabastrina
—dijo a Pedro, y mirando al Hombre bueno,
lo condujo al Rabino siendo ajeno
que fundaban la iglesia peregrina.

Inmortal religión del trigo trémulo,
nacida en tierra fértil y sedienta,
sufrida anhelada de nobleza,

Que alisa del corazón el tríbulo,
que el Espíritu Santo avienta,
y a Jesús muestra en su más dulce belleza.

PARA REFLEXIONAR

1. **¿Qué lugar ocupa la obra de la publicación en la obra del Señor?**

2. **¿Cómo puedo predicar el evangelio con una revista o un libro?**

3. **¿Qué ventaja tiene un texto escrito sobre un mensaje hablado?**

4. **¿Has pensado en suscribir a alguien a la conocida revista, *El Centinela,* u otra revista misionera?**

5. **¿Según el soneto, cómo se inició la iglesia cristiana? ¿Has pensado en el poder de una simple invitación?**